€ 1,50 Rt
W 14

HEYNE BÜCHER

HEYNE KOCHBÜCHER

DIE HEYNE LÄNDERKÜCHEN

9

Shiro Uehara

Masumi Schmidt-Muraki

Japanische Küche

Originalausgabe

WILHELM HEYNE VERLAG

MÜNCHEN

HEYNE KOCHBUCH
07/4509

7. überarbeitete Auflage
(bisher lieferbar unter der Nr. 07/4266)
4. Auflage dieser Ausgabe

Printed in Germany 1997
Umschlagfoto: Fotostudio Teubner, Füssen
Umschlaggestaltung: Atelier Ingrid Schütz
Innenfotos: Kikkoman Shoyu Co., Ltd., Tokyo, Shufunotomo Co., Ltd., Tokyo;
die übrigen Bilder wurden mit freundlicher Unterstützung
der Firmen Nonoribetsu Grand Hotel Ginuzushi, Sapporo,
Nishintaro, Sapporo, Kawataro, Tokyo, Oottare, Tokyo,
Komplett-Büro, München, aufgenommen
Satz: Schaber, Wels
Druck und Bindung: Ebner Ulm

ISBN 3-453-02714-0

INHALT

Abkürzungen und Erläuterung

TL = Teelöffel
EL = Eßlöffel
Msp = Messerspitze

Alle Rezepte sind, soweit nicht anders angegeben, für 4 Personen berechnet.

Vorwort

Ein wenig weiß jeder von Japan, dem *kleinen* Land im Fernen Osten (tatsächlich ist die Gesamtfläche eineinhalbmal so groß wie die der Bundesrepublik). Vielleicht fallen Ihnen Begriffe ein wie *geisha, fuji-yama, kamikaze, harakiri* (eigentlich *seppuku*), *judo, ikebana,* neuerdings auch einige Namen von Auto- und Elektrogerätefabriken. Sie kennen etwas aus dem kulturellen Bereich wie *zen, sho* (Tuscheschreiben), *ukiyoe* (Holzschnittkunst) und vielleicht auch Seiji Ozawa, den bekannten Dirigenten.

Die rapide Industrialisierung Japans im letzten halben Jahrhundert überraschte die Welt, brachte Europa und Amerika preisgünstige technische Geräte und den Japanern einen gewissen Wohlstand.

Dieses aus vier Haupt- und über 3000 kleinen Inseln bestehende Land erstreckt sich über 2400 km im nördlichen Pazifischen Ozean vor dem asiatischen Festland. Im Norden herrscht ein Klima wie in Nordeuropa und im Süden wie in Nordafrika. Annähernd 120 Millionen Menschen leben heute auf ca. 15 % der Gesamtfläche, denn das Land ist sehr gebirgig. Die Japaner sind ein Mischvolk, ihre Vorfahren kamen aus verschiedenen Richtungen in frühgeschichtlicher Zeit; aus Melanesien, Südchina, Zentralasien über China und Korea, Sibirien und Alaska. Ein Einfluß der chinesischen Kultur läßt sich seit dem Altertum nachweisen, der Ankunft von Europäern mit Christentum und Feuerwaffen dagegen folgte vom 17.—19. Jh. eine lange Isolation. Japan ist einerseits sehr homogen und andererseits vielschichtig, sehr traditionell und gleichzeitig offen für Modernität, zurückhaltend und aggressiv, demütig und stolz ...

Vieles ist darüber geschrieben worden. Fernsehen, Zeitungen und Zeitschriften in der Bundesrepublik versuchen, Perspektiven und Hintergrundserklärungen abzugeben, treffend oder nicht treffend, freundlich oder unfreundlich. Was für ein Volk sind die Japaner? Was macht ihre Mentalität, Denkweise, gesellschaftliche Struktur, Verhaltensweise usw. im einzelnen aus?

Und dann: Was essen die Japaner? Seit einigen Jahren werden in etlichen Städten in der Bundesrepublik Japanrestaurants eröffnet. Abgesehen von Japankennern sind die Besucher solcher Lokale meist überrascht. Alles ist ziemlich anders als z.B. in einem chinesischen Restaurant, das dem Europäer meist schon vertraut ist; die Innenarchitektur, die Atmosphäre, das Verhalten der Kellner und Kellnerinnen, doch vor allem das ESSEN.

Vielleicht »fehlen« zunächst die exotischen bunten Laternen, die Wandtapete mit farbenfreudigen Blumen und Drachenmustern oder andere dekorative Gegenstände, an die Sie im chinesischen Restaurant gewöhnt sind. Vermuteten Sie nicht, daß China, Hongkong, Korea und Japan sich einander sehr ähneln? Aber im Japanrestaurant, in dem schwarzgerahmte Papierlater-

nen mit einfachen Konturen schlichte Wände zurückhaltend beleuchten und kieferne Säulen still neben den fast skandinavisch anmutenden Holztischen stehen, stellt man fest, daß es sich von allen anderen Lokalen wesentlich unterscheidet.
Beim Essen, das in einem mit schlichten Linien gemusterten Holz-, Keramik- oder Porzellangeschirr (im Gegensatz zu dem rot, grün und gold bemalten chinesischen Geschirr) serviert wird, wird auf die Besonderheiten der Zutaten viel Rücksicht genommen. Man ißt nicht nur etwas Gutes, sondern nimmt die Natur im Essen wahr und schätzt sie. Man ißt sich nicht einfach satt, sondern genießt und preist die Gaben der Natur sowie die Kunst des Kochs. Man spürt eine Harmonie zwischen Koch- und Töpfereikunst und fühlt sich dabei wohl. So erlebt man Japan.
Küche und Kochkunst sind in der Tat im Norden und Süden, im Gebirge und am Strand sehr unterschiedlich. Die jüngeren *itamaesan* (Köche) reisen mit ihren Lieblings-*houchou* (Küchenmesser) jahrelang durch das Land und lernen ihr Metier. Der Verfasser versucht in diesem Buch, die von der Hofküche beeinflußte traditionelle Kochkunst, die später durch Rittertum und Bürgertum entwickelt und modifiziert wurde, zusammen mit ihren modernen Varianten darzustellen. Einige ländliche Spezialitäten bieten volkstümliche Abänderungen, die das Repertoire Ihrer Kochkunst noch vergrößern werden. Nun erleben Sie Japan durch den Magen.

Einige Charakteristika der japanischen Küche

Wollte man eine umfassende Darstellung der japanischen Küche mit ihren Stilrichtungen und ihrem geschichtlichen Hintergrund verstehen, müßte man japanische Geschichte und Sprache studiert haben. Glücklicherweise geht es in diesem Buch aber an allererster Stelle um die Kochkunst. Deshalb beabsichtige ich nicht, einen langen Roman zu verfassen, sondern nur einige grundlegende Begriffe der japanischen KÜCHE zu erläutern.

Guter sake und guter Reis

Ursprünglich entwickelte sich die Kochkunst in Japan, um den Genuß von *sake* und Reis zu vertiefen. Es gibt beträchtliche Unterschiede zwischen europäischen Beilagen und japanischem Reis. Reis ist Hauptbestandteil jeder Mahlzeit, obwohl normalerweise nur ein kleines Schälchen davon gegessen wird. Gleichgültig wie viel oder wie wenig *sake* getrunken und Reis gegessen wird, sind diese beiden die wichtigsten Bestandteile des Essens, für die sich die ganze Mühe des Kochens lohnt. Bei einem traditionellen japanischen

Essen genießt man zu kleinen Portionen verschiedener Gerichte jeweils *sake* schlückchenweise. Dabei unterhält man sich mit Freunden. Am Ende bilden Reis und Suppe einen guten Abschluß des menschlichen Beisammenseins.
Im modernen Alltag mit seiner entsprechenden Hektik wird diese ursprüngliche Bedeutung jedoch selten berücksichtigt. Auch im Japanrestaurant in Europa ist dies kaum zu realisieren, denn es fehlt leider an gutem *sake* und gutem Reis, und auch die übrigen Zutaten müssen sich den örtlichen Gegebenheiten anpassen.

»umi no sachi« (Segen des Meeres) und *»yama no sachi«* (Segen der Berge, des Landes)

Die traditionelle japanische Küche besteht aus mannigfaltigen Meeresfrüchten und Pflanzen. Tatsächlich fehlt aus europäischer Sicht das Fleisch. Es ist zwar belegt, daß es auf den japanischen Inseln Menschen gab, die Wild aßen, aber die frühzeitlichen Bewohner waren eher Fischer als Jäger. Den richtigen Fleischgenuß lernten sie erst gegen Ende des 19. Jh. durch europäischen Einfluß kennen. Fleischgerichte gibt es also erst seit ca. 100 Jahren. Der Gebrauch tierischer Fette ist entsprechend neu. Selbst Milch war in Japan nur ein Nahrungsmittel für Kälber. Deshalb werden Sie in diesem Buch alle Milchprodukte vermissen. Tiere waren überhaupt eher Arbeitskräfte als Nahrungsmittel.

kaiseki no kokoro

Reichhaltigste Zutaten aus dem Meer und den Bergen wurden mit *»kaiseki no kokoro«* zubereitet, was heute noch eine Grundlage der japanischen Kochkunst ist. *»kaiseki no kokoro«* ist ein Schlüssel, um diese Küche zu begreifen. *kaiseki* kommt von dem Zen-Begriff *»onjyaku«*, dem kleinen Stein, der den Bauch des fastenden Zen-Priesters während der Übungen wärmt. Man fragt den Priester sehr zurückhaltend, ob die Zeit gekommen sei, den Stein mit schlichtem Reis (Essen) ersetzen zu dürfen. Hier spielt der Buddhismus und später die *»wabi-* und *sabi*-Ästhetik« eine wichtige Rolle. *Wabi und sabi* sind schwer übersetzbare Begriffe, die man mit »tiefgründig«, »anmutig-still« oder »geschmackvoll« zu umschreiben versucht. Man gebraucht sie, um japanische Gedichte, Gemälde und No-Theater (Maskentheater) zu erklären. Sie leben im Geist der Teezeremonie (im 15. Jh. intensiv entwickelt) im ursprünglichen Sinn. Verwechseln Sie das nicht mit der heute oft praktizierten Teezeremonie. Im Geist von *kaiseki no kokoro* verfolgt man nicht nur den geschmacklichen Genuß des Essens, sondern man setzt sich mit dem Leben, dem Segen der Natur und den Regeln des Kosmos auseinander. Der Koch bemüht sich, auf dem Tisch die Welt (Naturgestalten, Landschaften und Jahreszeit) darzustellen. Eine wichtige Rolle spielen hierbei Farbe, Schnitte, Formen, Zusammenstellung und die Harmonie zwischen Essen und Geschirr. Es wird auf dem Teller so serviert, daß der leere Raum zwischen den zubereiteten Materialien ästhetisch und fantasievoll erscheint. Erinnern Sie sich an den Steingarten eines Zen-Tempels? Es ist trotzdem ein Mißverständnis anzunehmen, daß das japanische Essen zum Anschauen statt zum Essen sei. Im Gegenteil, es wird mit Genuß gegessen, allerdings nicht um den Hunger zu stillen oder bis zum Umfallen satt zu werden, sondern um sich zu freuen, die Natur genießen zu dürfen, von der Natur zu lernen, mit dankbarem Gefühl weiterexistieren zu können. Man lobt den Kosmos und die menschliche Kunst. Möglicherweise klingt dies etwas übertrieben oder gar moralisch. Ich möchte nicht, daß Sie beim Essen philosophieren müssen. Es ist schwierig, *»kaiseki no kokoro«* in Worte, vor allem in europäische Worte zu fassen; wir Japaner begreifen so etwas gewöhnlich gefühlsmäßig.

»shiki« (Die vier Jahreszeiten)

Die vier Jahreszeiten sind ein unerläßlicher Faktor der japanischen Küche. Japaner empfinden die Jahreszeiten mit ihren verschiedenen Erscheinungen wie Blumen, Bäumen, Wind, Regen und Schnee. Wir sind für alles, was wir mit unseren Sinnen spüren, sehr empfänglich. Der Wechsel der Jahreszeiten übt auf das Gefühlsleben des Japaners einen subtilen Einfluß aus. Sehnsucht, Glück und Trauer. *»shun«* (das Frische) jeder Jahreszeit ist ein sehr wichtiger Begriff für jeden Koch und jede Hausfrau. Dies kann man besonders bei einem festlichen Mahl zwar oft symbolisiert, aber dennoch deutlich beobachten.

»mizu« (Wasser) ist das Leben der japanischen Küche

Vergleicht man die japanische Küche mit der chinesischen, charakterisiert man den Unterschied oft mit »Wasser« und »Öl«. So ist das gute und weiche Wasser für die japanische Küche so wichtig wie das Öl für

die chinesische Küche. Selbstverständlich ergibt gutes Wasser guten *sake,* guten Reis und guten Tee. Aber glauben Sie nicht, daß es egal ist, mit welchem Wasser das Gemüse gewaschen und zubereitet wird. Die Weichheit des Wassers wird auf das Gemüse und den Fisch übertragen. Auch für die Suppe ist weiches und klares Wasser unerläßlich. Können Sie sich vorstellen, daß eine echte japanische Suppe kein Fett braucht? Um so mehr spürt man das wohlschmeckende Wasser geschmeidig und angenehm im Mund. Denken Sie vielleicht, daß ich wieder übertreibe? Nehmen wir z. B. *»touhu«* (manchmal *»tofu«* geschrieben: sogenannten Sojakäse), der ursprünglich aus China eingeführt wurde. Er änderte seine Qualität mit dem japanischen Wasser. Man nennt ihn auch *kinugoshi no touhu* (wie durch Seide gesiebter Sojakäse), damit soll allerdings nicht gesagt werden, daß der kräftige chinesische *touhu* geschmacklich uninteressant sei.
Im Gegensatz zu Wasser spielen Fett, Öl und Butter in der japanischen Küche absolute Nebenrollen. Das japanische Essen ist äußerst fettarm. Wenn es darauf ankommt, kann man ein ganzes Leben lang ohne Fett kochen, ohne deshalb Diät zu leben.

Ein houchou (oder hocho: japanisches Küchenmesser) kann alles schneiden

Da mit Eßstäbchen gegessen wird, schneidet man schon bei der Vorbereitung alles klein. Es gibt viele verschiedene Arten des Schneidens, die besonders beim Gemüse eine große Rolle spielen: kreis- und halbkreisförmig, rechteckig, würfelförmig, bandförmig,

zylinderförmig, blumenförmig, spanförmig etc. Manche Köche betreiben mit pflanzlichem Material Bildhauerei, aber von einer Hausfrau wird nicht verlangt, daß sie alle diese Schnitte beherrscht.
Ein japanisches Küchenmesser kann Ihnen wie ein Zaubermesser erscheinen. Wir brauchen keine unterschiedlichen Schneidemaschinen für verschiedene Zwecke. Ist es nicht so, daß die Europäer immer gleich verschiedene Werkzeuge erfunden haben, während die Japaner mehr das Geschick ihrer Hände entwickelten?

Cuisine de minute

Stundenlang werden nur wenige Gerichte bei uns gegart. Normalerweise wird kurz gekocht, so daß die Zutaten ihre typischen Eigenschaften behalten. Es wird auf die Minute gekocht oder zubereitet. Oft wird ein Gericht vor den Augen des Gastes vollendet, was den Gästen viel Vergnügen bereitet. Denken Sie an Fondue, Barbecue, Tatar etc. Der Koch oder die Hausfrau steht am Tisch oder vor der Pfanne mit dem schön garnierten, rohen Material, das auf die Minute gekocht und gegessen werden soll. Oft wird dies von Europäern mißverstanden, so sind Vor- bzw. Fehlurteile entstanden, z. B. daß Frauen zu Hause nicht mit den Gästen zusammen essen dürfen oder daß Japanerinnen gar unterwürfig sind. Sie wissen jetzt, daß Ihre Vermutung zumindest in diesem Punkt nicht stimmt. Bei einem solchen Essen, das am Tisch bereitet wird, fühlt man sich beteiligt. Die Atmosphäre ist gelockert. Die Beziehung zwischen den Gästen und dem Koch ist eine ganze andere als in Europa. Der Koch ist nicht

ein Irgendjemand, kein Anonymer, der in der Küche vor sich hinarbeitet, sondern er tritt persönlich auf.
Das Wesen der japanischen Küche konnte in dieser kurzen Einleitung nur in Andeutungen dargestellt werden. Kommen wir nun zur Sache. Mit der Beschreibung der Zutaten und erst recht beim Zubereiten und Genießen der Gerichte wird Ihnen unsere Küche nähergebracht als mit abstrakten Worten.

Zutaten

In diesem Zusammenhang möchte ich noch schnell einige Worte über Küchengeräte verlieren. Messer, Töpfe und Pfannen sehen bei uns doch ein bißchen anders aus. Ein japanischer Haushalt hat heutzutage zweierlei Ausstattungen: eine für die einheimische, die andere für die westliche Küche. Sie können jedoch für die japanische Küche Ihre gewohnten Küchenmesser, Töpfe und Pfannen benutzen, denn die japanischen Geräte, abgesehen vielleicht von einer *sukiyaki*-Pfanne und einem elektrischen Reiskocher, sind in Deutschland sowieso kaum zu beschaffen. Anders ist es bei dem Tischgeschirr; Reisschälchen und Eßstäbchen werden auch in Deutschland in verschiedenen Spezialläden verkauft. Japanische Stäbchen unterscheiden sich von den hierzulande meist angebotenen chinesischen dadurch, daß sie kürzer, an einem Ende zugespitzt und oft lackiert sind. Für Gäste oder auch im Restaurant sind in Japan hölzerne oder Bambus-Einmalstäbchen (*waribashi*) üblich. Wir verlieren nämlich den Appetit, wenn die Bambusstäbchen, die nicht gut zu waschen sind, noch nach dem letzten Gericht riechen.

Nun zu den Zutaten. Auch hier ist es nicht möglich, »wie in Japan« einzukaufen, um alles perfekt zu machen. Der Fisch, das Fleisch und die Gemüse, die man hier findet, sind auch in der japanischen Küche gebräuchlich, aber darüber hinaus werden noch viele weitere Gemüsesorten angeboten. Sehr vielseitig ist auch das Fischsortiment, das fleißige Fischer aus den sieben Weltmeeren holen. Mancher Europäer mag allerdings beim Gedanken an Walfisch ein zweifelndes Gesicht machen. Fleisch ist in Japan qualitativ hochwertig und entsprechend teuer. Am bekanntesten ist das »*kobe*-Steak«, das ist Fleisch von Rindern, die mit Bier (!) gefüttert werden und täglich von eigens eingestellten Arbeitern eine Massage erhalten. Im folgenden sei eine Reihe japanischer Speisezutaten zusammengestellt, die zwar im einzelnen exotisch anmuten mögen, zum anderen jedoch in einigen deutschen Spezialgeschäften zu kaufen sind:

aburaage — Sojabohnenprodukt. Gebratener, dünngeschnittener *touhu* (Sojakäse). Um seinen Ölgeruch zu entfernen, sollte man ihn vor Gebrauch mit heißem Wasser waschen. Zu Suppen, *sushi,* gekochtem Gemüse.

harusame (Frühlingsregen) — Sogenannte Glasnudeln. Vor Gebrauch entweder mit kaltem oder warmem Wasser einweichen. Zu Suppen, Salaten, Topf- und Pfannengerichten.

hijiki	Seekraut.
ikura	Lachsrogen. Wird hier in Flaschen angeboten. Nach dem Öffnen schnell aufbrauchen. Für *sushi* und Vorspeisen.
kamaboko	Fischwurst.
katakuriko	Stärkemehl.
kanpyou	Getrocknete Streifen einer kürbisartigen Pflanze. Vor dem Gebrauch gut waschen und mit reichlich Salz einreiben. Das Salz wird abgewaschen. Es wird dann gekocht, bis es weich wird.
katsuobushi	Unerläßliche Suppenzutat, aus Bonito (einer Art Thunfisch). Entweder in Form einer getrockneten Fischkeule, die gehobelt werden soll, oder schon gehobelte feine Späne in Plastikpackungen. Für Suppen, Garnierung auf Fisch- und Gemüsegerichten.
kazunoko	Heringsrogen. Entweder mit Salz präpariert oder getrocknet angeboten. Vor dem Gebrauch schälen und im Wasser entsalzen. Der trokkene Rogen wird vor dem Gebrauch 2—3 Tage in Reiswaschwasser (*komenotogishiru:* das Was-

ser, mit dem Reis gewaschen wurde) getaucht. Das Wasser wird jeden Tag gewechselt. Als Vorspeise sehr geeignet.

kikunori — Gekochte und getrocknete Blätter von eßbaren Chrysanthemen. Im siedenden Wasser mit ein wenig Essig leicht kochen, mit einem Sieb ausschöpfen und kühlen. Als Dekoration zu Fischgerichten oder *tenpura.*

kikurage — Eine Pilzart in getrockneter Form angeboten, schwarz oder dunkelbraun. Vor Gebrauch in kaltem oder lauwarmem Wasser kurz einweichen und leicht waschen. Für Topf- und Pfannengerichte.

kiriboshidaikon — Feingeschnittene, getrocknete Rettiche. Vor Gebrauch waschen, kurz in Wasser einweichen und gut auspressen. Je nach Zubereitungsart schneiden, als Salat oder gekochtes Gemüse.

konowata — Mit Salz präparierte Innereien der Seegurke. Begehrt von Feinschmekkern, besonders als leichte Kost beim Saketrinken.

konbu (kobu) — Eine Art von Seekraut, in verschiedenen Formen angeboten: getrocknet, in Streifen, feingeschnitten und mit Sojasauce gekocht, mit ver-

	schiedenen Gewürzen variiert. Anwendung: Suppenbrühe, *sushi,* Garnierung, Gewürze auf warmem Reis. Mit anderen Gewürzen als Vorspeise oder Salat.
konnyaku	Eine geleeartige Pflanzenwurzel. Für Salate, Vorspeisen, gekocht mit Gemüsen und Fischen.
kouyadouhu	Eingefrorenes und getrocknetes *touhu.* Angeboten in haltbarer harter Form. Vor dem Gebrauch wird es mit heißem Wasser (80 Grad) in zugedeckter Schale eingeweicht. Nachdem es sein Volumen durch Aufquellen verdoppelt hat, Wasser auspressen und kochen. Für Gemüsegerichte, *sukiyaki* etc.
mirin	Gewürz.
mizuame	Süße Reisgallerte.
nattou	Gegorenes Sojabohnenpräparat. Tiefgekühlt angeboten. Mit feingeschnittenem frischem Lauch, *nori,* Senf und Eigelb mischen und auf warmem Reis essen. Vorspeise, auch Suppe.
nori	Die populärste Art von Seekraut. Verschiedene Variationen. Normalerweise in getrockneter, quadratischer Form angeboten, die z. B. leicht geröstet für Reis-, Gemüse- und Fischgerichte gebraucht wird.

shiokara	Mit Salz präparierte Innereien, Rogen und Fischstücke von Bonito, Tintenfisch etc. Vorspeise, begehrt von Feinschmeckern. Schmeckt gut zu *sake.*
shiitake	Hier China-Pilz genannt. Er wird in getrockneter Form angeboten. Vor dem Gebrauch gut waschen und in lauwarmem Wasser einweichen. Dieses Wasser wird als Suppengrundlage oder als Sauce gebraucht. Bei zu langem Einweichen geht das Aroma verloren. Vielseitig verwendbar.
shirataki	Feingeschnittenes *konnyaku.* Bündelweise in Plastikpackungen angeboten. Für *sukiyaki* und andere Gemüsegerichte.
shiratamako	Reismehl für Süßspeisen.
shiokurage	Salzqualle. Vor dem Gebrauch eine Nacht in Wasser einweichen und entsalzen. Einmal in siedendes Wasser eintauchen, sofort herausnehmen und in kaltes Wasser legen. Als Vorspeise leicht gesäuert.
touhu (tofu)	Mit Sojamilch hergestelltes Nahrungsmittel, in Deutschland Sojakäse genannt. Es schmeckt nicht wie Käse, sondern vielmehr neutral. Sehr

	vielseitig verwendbar: vegetarische Tempelspezialität, verschiedene Vorspeisen, *sukiyaki* etc.
tarako	Dorschrogen. Tiefgekühlt angeboten. Leicht grillen und mit Reis essen oder als Mischmaterial anwenden.
uni	Innereien des See-Igels. Wird meist in Flaschen angeboten. Mit Reis essen. Für *sushi* und andere Vorspeisen.
zenmai	Wird hier nur in getrockneter Form angeboten. Vor dem Gebrauch 3—4 Tage in reichlich Wasser einweichen. Zu Gemüsegerichten.
warabi	Adlerfarn. In der gleichen Form wie *zenmai* angeboten. Gleiche Verwendung.
wakame	Seekraut.
wasabi	Grüner Meerrettich, fertig in Tuben angeboten.

(Bei der Umschrift habe ich r statt l gebraucht. Das Japanische kennt weder r noch l, sondern einen Laut, der zwischen l und r liegt. Hatte ich die Wahl zwischen h und f, dann habe ich h benutzt, da dies ähnlicher klingt.)

Über das Würzen

shouyu (Sojasauce): Die wichtigste Würzsauce in der japanischen Küche. Diese ursprünglich in China erfundene Würze wurde im 8. Jh. nach Japan gebracht. Erst nach vielen Versuchen und Experimenten wurde das jetzige Rezept erreicht. *shouyu* ist in der traditionellen japanischen Küche unerläßlich. Hergestellt wird sie aus Weizen und Sojabohnen in einem Gärverfahren mit Hefe und Salzzusatz. Es gibt einige große Hersteller in Japan, die auf ihr jeweils in eigenem Verfahren gewonnenes Aroma stolz sind. Ich möchte hier drei Arten der Sojasauce erwähnen:

1. *koikuchishouyu* (dicke Soja)	dunkelrot, starkes Aroma, für ein fertiges Gericht. Wird es zum Kochen benutzt, ist das Timing sehr wichtig. Was man normalerweise hier Sojasauce nennt, ist diese Sauce.
2. *usukuchisyouyu* (dünne Soja)	helle Farbe, einfach, daher bleibt das Aroma und der Geschmack der Zutaten erhalten. Sie wird hauptsächlich zum Kochen gebraucht, weniger als zusätzliche Würze für schon fertige Gerichte.
3. *tamarijyouyu* (starke Soja)	dunkel bis schwarz, dick, sehr eigenwilliger Geschmack und sehr starkes Aroma, wird für Grillgerichte gebraucht.

miso: Diese Würze ist ebenfalls sehr wichtig. Sie hat eine fast so lange Geschichte wie die Sojasauce. In verschiedenen Provinzen wurden je nach Klima und Zutaten mannigfaltige Arten und Sorten mit einigen Geschmacksrichtungen entwickelt. Es ist eine quarkähnliche Masse, die aus Sojabohnen, Hefe und Salz hergestellt ist. Zwei wichtige Sorten möchte ich hier erwähnen.

akamiso — hellbraun oder rostfarbig. Bekannt sind *hachoumiso, sendaimiso, edomiso, tamarimiso, inakamiso.* Starkes Aroma. Jeweils mit verschiedener Hefe hergestellt: Sojahefe, Reishefe, Weizenhefe.

shiromiso — beige, gelblich hell. Ebenfalls verschiedene Arten. Leichter und süßlicher als *akamiso.*

Mit *miso* kocht man Suppen (miroshiru), aber man würzt auch verschiedene Gerichte. Es ist ebenfalls gebräuchlich, verschiedene Sorten des *miso* zu mischen.

Darüber hinaus sind noch folgende Gewürze wichtig:

su (Essig) — Traditionell wird japanischer Essig aus Reis hergestellt. Es gibt besonderen Essig aus Zitrusfrüchten. Obstessig und Weinessig sind in Japan ziemlich neu. Sie können jedoch auch diese europäischen Essigsorten verwenden.

mirin — Würze aus *sake.* Süßliches Aroma. Angewandt wird es, um den Geschmack eines Gerichtes milder und subtiler zu machen. Notfalls geht es auch ohne.

sake — Reiswein; wie in westlicher Küche Wein, so wird dieses Getränk auch als Würze angewandt.

sanshou — »japanischer Bergpfeffer«. Wird meist in Pulverform auf fertigen Gerichten verstreut.

wasabi — Wird auf deutsch grüner Meerrettich genannt. Pflanzen, die in Gebirgsbächen wachsen. In Europa pulverisiert angeboten. Beim Gebrauch mit Wasser mischen.

shouga — Ingwer. In Deutschland neuerdings frisch, Ingwer wird aber auch als trockenes Pulver angeboten.

Das ganze Gewürzsortiment der europäischen Küche lernten wir erst in den letzten Jahren kennen. Die Japaner kamen nicht dazu, so viele verschiedene Gewürze wie die Europäer zu entdecken. Sie dachten mehr an gutes Wasser und die Eigenschaften der Zutaten. Es kann aber auch daran liegen, daß sich in Japan der Genuß von Fleisch erst vor nicht allzu langer Zeit eingebürgert hat.

Selbsthergestellte Suppenbrühe (dashi)

Diese Brühe wird als Grundlage vieler Gerichte gebraucht. Wichtig für die Zubereitung ist gutes Wasser. Wenn Sie mit Ihrem Trinkwasser keinen guten Tee kochen können, kaufen Sie Mineralwasser ohne Kohlensäure. Sie sollten am Herd bleiben, denn das Timing ist wichtig.

konbu-Brühe	40 g *konbu* auf 1 l Wasser. *konbu* mit einem nassen Tuch putzen und 7—8 Stunden in kaltes Wasser tauchen (im Sommer im Kühlschrank). Auf schwachem Feuer ca. 10 Minuten kochen, kurz vor dem Sieden *konbu* wegnehmen.
katsuobushi-Brühe	Späne von trockener Bonitokeule oder pulverisiertem Bonito. Ca. 40 g in 1 l kochendes Wasser geben. Einige Minuten kochen lassen. Bonito mit einem Tuch aussieben.
niboshi-Brühe	Besteht aus gekochten und anschließend getrockneten kleinen Fischen, die Sie hier in Spezialgeschäften unter dem Namen *niboshi* finden. Ca. 40 g auf 1 l Wasser. *niboshi* ins kochende Wasser geben und einige Minuten kochen, *niboshi* aussieben.

Es gibt noch Gemüsebrühe, Fischbrühe und Hühnerbrühe. Folgende Mischungen sind am gebräuchlichsten:

ichibandashi (erste Brühe)	Eine Mischung von *konbu*-Brühe und *katsuobushi*-Brühe: nachdem man das *konbu* aus der *konbu*-Brühe genommen hat, wird die Brühe weiter gekocht, bis sie wieder siedet, dann ein wenig Wasser hinzufügen und noch mal

kochen, *katsuobushi* dazugeben und ein paar Minuten ziehen lassen. *katsuobushi* wird durch ein Tuch gesiebt.

nibandashi (zweite Brühe)

10—15 g von den gesiebten Zutaten der *ichibandashi* auf 1 l Wasser geben. Noch mal kochen. Wenn es siedet, auf schwachem Feuer weiterkochen lassen. Davon die Hälfte oder ein Drittel nehmen, dazu noch mal eine beliebige Menge von *katsuobushi* geben. Sieden lassen. *katsuobushi* wird durch ein Tuch gesiebt.

Wie kochen wir Reis »japanisch«?

Sie wissen jetzt schon, wie wichtig Reis in der japanischen Küche ist. Wie kocht man nun Reis in Japan »richtig«? Offen gesagt, einem Japaner erscheint die Art, wie hier Reis gekocht wird, äußerst verwunderlich. Reis wird als Beilage hauptsächlich durch die Sauce gekennzeichnet, er braucht also keine eigene Identität zu haben. Sie kochen zwar Reis auch mit Butter, aber dann schmeckt er mehr nach Butter als nach Reis.
Der langkörnige Reis, den Sie so gern essen, erinnert uns an die schlechten Zeiten, als wir immer ausländischen Reis essen mußten. Reis, der sich nicht mit Eßstäbchen greifen läßt, der wie trockener Sand auseinanderfällt, oder im Gegenteil wäßrig ist, solcher Reis ist uns ein Greuel, er kann uns die ganze Mahlzeit verderben. Unser Reis muß so gekocht werden, daß er seinen eigentlichen Geschmack behält. Denken Sie an das angenehme Aroma von Weizen, wenn Sie in frisches Brot beißen. So ist Reis für Japaner.

Welchen Reis soll man kaufen?

Der beste Reis, den man in Japan *»sasanishiki«* nennt, ist hier leider nirgends zu finden. Es sind rundkörnige kleine Perlen, deren fast durchsichtige weiße Oberfläche zurückhaltend, aber eindrucksvoll feinen Glanz ausstrahlt. Man kann ihn mit dem hier angebotenen preisgünstigen Rundkornreis, den Sie Milchreis nennen, nicht vergleichen. Zur Not können Sie solchen Reis zwar gebrauchen, aber ich würde Ihnen vorschlagen, wenn Sie einmal japanisch kochen wollen, Reis aus Kalifornien, den Sie in Spezialgeschäften finden, zu besorgen. Solcher Reis wird unter den Namen *botanmai, shiragikumai, Japan-Rose-mai, Rose-mai, tsurumai* angeboten.

Elektrischer Reiskocher

Da es auch für die japanische Hausfrau schwierig war, den Reis richtig zu kochen, hat man den elektrischen Reiskocher erfunden. Sie können einen solchen Apparat auch hier in großen Elektrogeschäften und Spezialgeschäften kaufen. Er macht alles automatisch. Man muß lediglich nach der Gebrauchsanweisung die richtige Menge Wasser einfüllen. Dieser Kocher ist für Japaner kein Luxusgegenstand, doch wenn Sie ihn nicht kaufen wollen, können Sie auch in einem normalen Kochtopf kochen.

Vor dem Kochen wird der Reis gewaschen

Mindestens eine halbe Stunde vor dem Kochen wird der Reis gewaschen. Geben Sie den Reis in einen Topf und dazu reichlich Wasser. Kommt grober Schmutz hoch, schütten Sie ihn mit dem Wasser zusammen weg. Wiederholen Sie dies jedesmal mit frischem Wasser, aber ohne den Reis zu stark umzurühren, so lange, bis das Wasser nicht mehr trüb erscheint.

Wassermenge

Es kommt darauf an, welchen Reis man kocht. Wenn Sie neuen Reis (frische Ernte) haben, nehmen Sie die doppelte Wassermenge (110 %), bei altem Reis (letzte Ernte) oder Reis, der nicht aus Japan stammt, die eineinhalbfache bis doppelte Menge Wasser (150—200 %).

Zwei verschiedene Methoden, Reis zu kochen

1. *mizudaki* (mit kaltem Wasser anfangen)

Die gebräuchlichste Methode. Geben Sie den gewaschenen Reis mit der entsprechenden Wassermenge in einen Topf. Kochen Sie bei mittlerer Temperatur, bis der ganze Topf gleichmäßig erhitzt ist, dann auf starker Flamme, bis der Reis kocht. Lassen Sie den Reis bei starker Hitze 2 Minuten weiterkochen, anschließend auf mittlerer Temperatur 5 Minuten, danach auf sehr schwachem Feuer weitere 5 Minuten. Man schaltet dann das Feuer aus und läßt den Reis bei geschlossenem Deckel noch 15—20 Minuten dämpfen. Der Topfdeckel bleibt immer zu. Auf keinen Fall den Deckel abnehmen! Nach dem Dämpfen sollte die Feuchtigkeit unter dem Deckel abgewischt werden, sonst tropft der abgekühlte Dampf auf den Reis und macht ihn wäßrig. Der fertige Reis im Topf wird mit einem Bambuslöffel gelockert. Den Reis in eine Holzkiste (*o-hachi, ohitsu*) geben und mit einem trockenen Tuch bedecken. Auch bei einem elektrischen Reiskocher müssen Sie den Dampf unter dem Deckel nach ca. 15—20 Minuten wegwischen.

2. *yudaki* (mit gekochtem Wasser anfangen)

Prinzipiell das gleiche Verfahren wie 1, nur ist das Wasser von Anfang an warm. Füllen Sie zuerst die entsprechende Wassermenge in den Kochtopf und erhitzen Sie sie. Geben Sie dann den gewaschenen Reis in das siedende Wasser. Danach wie oben.
Die 2. Methode (*yudaki*) wird benutzt, wenn eine große Menge Reis auf einmal gekocht werden muß. Auch wenn der Reis, z.B. wie bei *sushi,* ziemlich fest sein muß, benutzt man diese Methode.

sukiyaki (Rezept Seite 33) ▷

KIKKOMAN
SOY SAUCE

Bekannte »National«-Gerichte

Vermutlich ist Ihnen die japanische Küche relativ neu. Sie haben vielleicht gehört, daß auch roher Fisch gegessen wird. Inzwischen werden einige Gerichte auch in manchem Chinarestaurant — allerdings abgewandelt — angeboten, z. B. *sukiyaki, tenpura ...* Wenn Sie mich fragen, was eigentlich an erster Stelle kommt, wenn man über die japanische Küche redet, würde ich mit *sashimi* und *sushi* anfangen. Aber ich beginne doch mit *sukiyaki,* da dieses Gericht der europäischen Küche näher steht; dies soll aber nicht heißen, daß es nicht japanisch sei.

sukiyaki

(Foto gegenüber S. 32)

In einem Kochbuch des Jahres 1804 wird zum ersten Mal erwähnt, daß man nach der Jagd Wild gegrillt habe. Jedoch erst in der 2. Hälfte des 19. Jh., nach Beendigung der langen Isolation Japans, bürgerte es sich ein, auch im Alltag Fleisch zu essen. Viehzucht in grö-

◁ *sashimi* (Rezept Seite 39)

ßerem Umfang wurde begonnen. *sukayaki,* mit Rindfleisch zubereitet, wurde sehr schnell populär. Das teuerste *sukiyaki*-Fleisch heißt *shimohuri,* bei diesem wurde das Fett der Rinder ins Fleisch einmassiert, es zergeht auf der Zunge. Wenn Sie einmal in Japan sind, versuchen Sie, dieses Fleisch zu bestellen. Wir wollen hier mit einem normalen Lendenstück arbeiten. Das schmeckt bestimmt auch fein.

600 g (je nach Appetit 800 g) dünn geschnittene, zarte Lende; um sie dünn zu schneiden, können Sie das Fleisch anfrieren und mit einem elektrischen Messer in millimeterstarke Scheiben schneiden. (Japanischen Köchen gelingt das mit einem Küchenmesser.)
1 Stück Ochsenfett (oder 125 g Butter)
4 Chinakohlblätter
4 große Stücke shiitake *(oder 200 g Champignons)*
2 mittelgroße Zwiebeln (nicht überall in Japan üblich)
2 Bündel shirataki *(ersatzweise die gleiche Menge Glasnudeln)*
1 Bambussprößling
1—2 Stück touhu
2 Stangen Lauch
wenn vorhanden, einige eßbare Chrysanthemenblätter (ersatzweise Spinatblätter oder Petersilie)
4 rohe Eier

sukiyaki-Sauce:
⅔ Tasse Grundbrühe oder Wasser
1 Tasse Sojasauce
⅓ Tasse sake
80—100 g Zucker

Gemüse gut waschen und mit Schrägschnitt in 3—4 cm lange Stücke schneiden. *shirataki*-Bündel halbieren. *touhu* würfelförmig (ca. 2×2×2 cm) schneiden. Zwiebel dünn und ringförmig schneiden. Alle Zutaten auf

großen Tellern ästhetisch (Farben!) garnieren und zu dem Tisch bringen, auf dem schon die *sukiyaki*-Pfanne steht. Nun für jeden Gast ein Schälchen mit einem rohen Ei servieren. Die Pfanne erhitzen, das Fett oder die Butter zergehen lassen, darauf die Fleischscheiben gar braten, *sukiyaki*-Sauce zugeben. Dann das Gemüse hinzugeben und garen. Jeder schlägt sein Ei in das Schälchen, mit dem Eßstäbchen gut umrühren. Das gekochte Fleisch und Gemüse in das verschlagene Ei tauchen und essen.
Warmer *sake* und gut gekochter Reis gehören dazu. Bier paßt übrigens auch gut zu *sukiyaki*. Der Gastgeber gibt ab und zu weiteres Fleisch und Gemüse in die Pfanne, um den Gästen zu helfen.

tenpura

(Foto gegenüber S. 64)

Wahrscheinlich wurde die Urform dieses Gerichtes im 16. Jh. entweder aus Spanien oder Portugal nach Japan gebracht. Später wurde es ein beliebtes Gericht in der Gegend von *Edo,* dem jetzigen Tokio. Man hat frisch geangelte Fische aus der Tokiobucht (damals war es noch möglich) in Teig ausgebacken. Heute wird *tenpura* darüber hinaus mit verschiedenen Gemüsen und neuerdings auch Fleisch zubereitet. Die *tenpura*-Sauce, in die geraspelter Rettich und Ingwer zu verrühren sind, ist ein wichtiger Bestandteil. Dieses Gericht wird wahrhaft »auf die Minute« gebacken und sofort gegessen. Im Restaurant wird es oft vor Ihren Augen zubereitet.

8 Hummerkrebse
1 ganzer Tintenfisch
beliebige Menge Fischfilet (Scholle, Seezunge, Kabeljau, Rotbarsch, Seelachs, Dorsch etc., also Fische mit weißem Fleisch; Thunfisch und Bonito sind nicht geeignet)
4 kleine Zwiebeln
8 große Champignons (oder shiitake)
2 kleine Auberginen
1 Paprika (Sie können jeweils Gemüse der Jahreszeit verwenden: frische Bohnen, Lauch, Kartoffeln, Karotten, Schwarzwurzeln, Chrysanthemenblätter, Huflattich, Ackerschachtelhalm, Löwenzahn etc. Chinakohl, Weißkraut und Spinat passen nicht)

Backteig:
2 Tassen Weizenmehl und 1 Ei mit 400 ccm Wasser mischen

Backöl:
Pflanzenöl mit einem Schuß Sesamöl gemischt (Olivenöl ist nicht geeignet)

Hummerkrebse gut waschen, den Kopf, Innereien, Füße und Hüllen bis auf den Schwanz entfernen. Die Schwanzspitze abschneiden. Am Bauch einschneiden, damit sie sich beim Backen nicht verbiegen können.
Tintenfisch am Bauch senkrecht einschneiden, öffnen, Innereien entfernen, gut putzen, abhäuten und diagonal breitbandförmig schneiden. Fisch aus der Tiefkühltruhe auf die passende Größe zurechtschneiden. Champignons leicht waschen und mit einem Tuch abtrocknen. Alle Zwiebeln schälen und senkrecht halbieren. Zwiebeln von der Seite zur Mitte hin auf einen Zahnstocher stecken, damit das halbierte Stück nicht auseinanderfällt. Auberginen waschen, auf die passende Größe zurechtschneiden, in die Außenhaut diagonale Streifen schlitzen. Inzwischen den Backteig vorbereiten. In eine Schüssel ein Ei schlagen. Gut gesiebtes Weizenmehl und Wasser hinzugeben und verrühren. Kleinere Klümpchen können bleiben.
Alle Zutaten, außer Fischschwanz und der Gemüseschale, mit trockenem Weizenmehl leicht bestreichen. Nun wird gebacken. Öl auf schwachem Feuer langsam auf 165—170°C erwärmen. Um die Temperatur zu testen, ein bißchen Backteig mit der Eßstäbchenspitze ins Öl tropfen. Wenn der Tropfen gleich hochkommt und sich gegen die Öloberfläche öffnet, wie eine Blume blüht, ist die Temperatur richtig. Wenn der Tropfen am Pfannenboden bleibt, hat das Öl noch unter 150°C, wenn der Backteig nicht sinkt, sondern sofort an der Oberfläche platzt, liegt die Temperatur bei 180°C. Wenn das Öl die richtige Temperatur hat, die Zutaten schnell im Backteig wenden und in das Öl tauchen. Ein Stück ist gar, wenn die Ölblasen um es herum klein werden. Es wird aus dem Öl herausgehoben, auf ein Metallnetz gelegt, damit das Öl abtropft.

Auf jeden Teller eine weiße Papierserviette legen, darauf das Gebackene servieren. Das Öl klebt dann nicht auf dem Teller, sondern wird vom Papier abgesaugt. Beim Servieren auf das Gesamtbild Rücksicht nehmen. Üblicherweise wird das Gemüse auf dem Teller an der Vorderseite und der Fisch dahinter plaziert. Inzwischen muß die *tentsuyu* (Sauce) gewärmt sein. Der geraspelte Rettich und Ingwer werden am Rand des Tellers oder neben dem Gebackenen wie eine kleine Pyramide aufgehäuft. Die Gäste verrühren Rettich und Ingwer in der Sauce. Gemüse und Fleisch werden nun kurz in die Sauce eingetaucht. Guten Appetit!

Variation:

Sie können verschiedene Gemüse der Jahreszeiten, z.B. Zwiebel, Bohnen, Champignons, streifenförmig schneiden und mit Shrimps zusammen mit dem Backteig leicht vermischen, mit einem kleinen Schöpflöffel in kleinen Portionen ins Öl geben. Für Vegetarier können Sie ausschließlich Gemüse backen. Das nennt man *shoujinage* und wird auch in Zen-Tempeln gegessen.
Wenn Ihre Gäste Fisch nicht mögen, können Sie die geschnittenen Gemüse mit gemischtem Hackfleisch zusammen backen. Statt Fisch dann Fleisch in der passenden Größe.

sashimi (osashimi)

(Foto gegenüber S. 33)

Der berühmte »rohe« Fisch! Wir beißen nicht wie ein Bär in den gerade geangelten ganzen Fisch. Es gibt viele Regeln für die Zubereitung dieses Gerichts. Im Endeffekt geht es um das *Schneiden.* Glauben Sie mir, wenn ich sage, daß das gerade das Schwierigste ist? Tatsächlich lernen die japanischen Köche jahrelang, nur um besser Fisch schneiden zu können. Das alles mit einem einzigen *sashimibouchou* (*sashimi*-Messer). Das allerwichtigste ist, daß die Fische sehr frisch sind. Man kann mit fast jedem Fisch *sashimi* zubereiten. Meerbrasse, Thunfisch, Bonito, Stachelmakrele, Makrele, Schwertfisch, Flunder, Meeräsche, Steinbutt, Kugelfisch (besondere Genehmigung erforderlich), Hummer, Shrimps, Krabben, Tintenfisch, Qualle, verschiedene Muscheln und andere Meeresfrüchte.
Beim *sashimi* ist noch wichtig *tsuma* (yakumi: Gewürze) und *ashirai* (Garnierung mit verschiedenem frischem Gemüse).

tsuma: Geriebener grüner Meerrettich (ersatzweise gekneteter pulverisierter Rettich), geriebener Ingwer, feines, streifenförmig geschnittenes *nori,* Perilla-Früchte.

ashirai: Fadendünn geschnittener Rettich oder Gurke in verschiedenen Formen, Karotten, Kressearten und andere aromatische Pflanzen der Jahreszeit, die auch bei der Farbgestaltung eine große Rolle spielen.

Es gibt in der Tat nur wenige Hausfrauen in Japan, die sich getrauen, *sashimi* selbst zuzubereiten, da dieses Gericht richtig appetitlich und ästhetisch aussehen muß.

Mit gutgeschliffenem Messer schnell und geschickt zu schneiden ist wirklich schwierig. *sashimi* zu schneiden ist eine Kunst.
Historisch gesehen erlebte die Entwicklung der japanischen Kochkunst einen Aufschwung durch die Entdekkung des *sashimi*-Genusses.
Wenn Sie mutig genug sind, trotzdem mit rohem Fisch experimentieren zu wollen, machen Sie es wie folgt: Frischen Fisch gut waschen. Beide Seiten des Fisches von den Gräten lösen, mit der Hautseite auf das Kochbrett legen. Bei weichen Fischen den Schwanz Ihnen abgewandt, sonst den Schwanz Ihnen zugewandt. Mit einem gut geschliffenen Messer von oben gegen die Haut auf dem Kochbrett diagonal schneiden, bei Thunfisch ca. 1 cm dick, bei weißen Fischen dünner. Zur Abwechslung können Sie Thunfisch auch würfelförmig schneiden. Tintenfisch mit kaltem Wasser gut waschen, häuten, feinstreifenförmig oder rechteckig in die passende Größe schneiden. Wichtig ist, daß Sie flink schneiden. Keinesfalls mit der warmen Hand den Fisch lang halten oder drücken. Wenn der Fisch zickzack geschnitten oder gar zerfetzt wird, plump oder unförmig erscheint, lassen Sie ihn liegen. Diesen Fisch können Sie z. B. für ein Backgericht verwerten.
Haben Sie den Fisch erfolgreich zerschnitten, garnieren Sie den Teller (wenn Sie keine japanischen Teller haben, nehmen Sie möglichst einfarbige — weiße, schwarze, dunkelblaue, braune —, nicht gemusterte Teller) schön mit *tsuma* und *ashirai*. Den Teller nicht überfüllen. Jedem Gast geben Sie in einer kleinen Schale ca. 1 EL Sojasauce, in die er *tsuma* verrühren und danach den Fisch tauchen kann.

sushi (osushi)

(Foto gegenüber S. 97)

Frische Meeresfrüchte auf Reis, der mit Essig, *sake*, Zucker und Salz angemacht ist. Dieses Gericht hat Tradition in der japanischen Küche, sein Ursprung führt zum Anfang des 10. Jh. zurück. Am Anfang war es ein auf viele Arten mariniertes Fischgericht, das zu festlichen Gelegenheiten von den Küsten des ganzen Landes dem Kaiserhof geopfert wurde. Später kam man darauf, solchen Fisch mit Reis zu kombinieren. Jetzt ist der Reis ein wichtiger Teil des Gerichtes. Sie müssen für *sushi* unbedingt den besten Rundkornreis, den Sie hier finden können, besorgen. Wir kochen diesen Reis nach der *yudaki*-Methode (S. 32). Während der Reis kocht, bereiten wir die Essigmischung vor:

Auf 1800 g Reis
200 ccm Reisessig
180 g Zucker
50 g Salz

Sie wundern sich, warum 1800 g? Das entspricht unserer alten Maßeinheit, einem Holzgefäß (masu), *welchem 1,8 Liter entsprechen*

Den gekochten Reis unmittelbar in eine flache Holzschale (ersatzweise Plastikschüssel) umfüllen und die Essigmischung dazugeben. Mit einem Bambuslöffel (*shamoji,* im Spezialitätengeschäft käuflich) gleichmäßig mischen, dabei sollte der Reis nicht zusammengepreßt werden. Die Form des Reiskorns muß erkennbar bleiben. Wenn Sie den Reis dabei befächeln, bekommt er einen schönen Glanz. Der Reis ist fertig. Man nennt ihn *sushi*-Reis. Sie können ihn für jedes der folgenden *sushi*-Gerichte verwenden.

nigirizushi

Reishappen mit verschiedenen Meeresfrüchten. Mit so viel Reis, wie Sie leicht in eine Hand nehmen können, formen Sie ein längliches Klößchen, darauf drücken Sie sacht 1 Stück kleingeschnittenen Fisch, dessen Unterseite leicht mit 1 Prise grünem Meerrettich bestrichen wurde. Fertig.
Es klingt sehr einfach, aber die Köche lernen diese Verfahren in langen Jahren. Sie werden es in Japan kaum erleben, daß eine Hausfrau mit *nigirizushi* experimentieren wird. Wenn es eine versucht, besitzt sie meist ein *sushi*-Förmchen aus Holz, in das sie den Reis leicht drückt und dann wieder herausklopft, bevor sie ein Stück Fleisch darauflegt.
Man bestellt solche Spezialgerichte normalerweise in einem Restaurant, das das fertige Gericht frisch nach Hause liefert. Wenn sie Gäste haben, bestellen die Hausfrauen *sushi* und *sashimi* rechtzeitig in einem Restaurant in der Nähe, das kostet kaum viel mehr. Hier in Deutschland wird dies nur selten praktiziert. Keiner verlangt in Japan von einer Hausfrau, daß sie *sushi* und *sashimi* selbst richtig vorbereiten kann.
Denken Sie nicht, es sei Unsinn, ein Gericht zu erwähnen, das Sie gar nicht selber zubereiten können. Allein *nigirizushi* ist so wichtig, daß ich nicht den Mund halten kann. Außerdem, warum sollten Sie nicht versuchen, selbst damit zu experimentieren? Sie werden bekannt unter Ihren Feinschmeckerfreunden werden!

Also kommen wir auf die *sushi*-Zubereitung zurück:

Beim Formen des Reises sollten Sie ihn nicht zu lange in den warmen Händen kneten. Alles muß in wenigen

Sekunden geschehen. Die Klößchen sollten gleichmäßig sein. Fische auf die passende Größe zurechtschneiden. Tintenfisch und Hummerkrebs können Sie, wenn Sie wollen, leicht kochen und abkühlen. Drükken Sie den Fisch nicht zu fest auf den Reis. Er darf ebenfalls nicht lange in Ihren warmen Händen bleiben. Kaum haben Sie den Fisch angerührt, sollte er auf dem Reis fest bleiben. Zum *sushi* können Sie folgende Zutaten verwenden: Thunfisch, Tintenfisch, Makrele (marinieren: einen Korb reichlich mit Salz bestreuen, darauf Makrelenfilets legen. Haut nach oben. Noch einmal Salz daraufstreuen. 6—10 Stunden in den Kühlschrank legen. Mit Wasser und Salz [1 : 1] den Fisch gut waschen. Die Makrele in eine Glasschüssel legen. Mit so viel Essig begießen, daß die Makrele gerade bedeckt ist. Dünne Ingwerscheiben daraufstreuen. Mit einem Ziegelstein ½ Tag pressen), Qualle, Meerbrasse, Hummerkrebs, Meeraal (gar dämpfen und leicht grillen), Kaviar, Seeigelinnereien, verschiedene Muscheln und gebackenes Ei. (Ei und Grundbrühe 2 : 1 mischen. Mit Sojasauce abschmecken.)

chirashizushi

Es ist viel leichter zuzubereiten. Sie geben den *sushi*-Reis, etwa so viel, daß er für eine Mahlzeit reicht, in eine Schüssel. Die gleichen Zutaten wie bei *nigirizushi,* klein, in verschiedene Formen schneiden, auf dem Reis garnieren. Achten Sie auf die Ästhetik der Farbkombination. Mit Fantasie gestalten. Frische Gemüse: länglich geschnittene Gurkenscheiben, junge Erbsen, leicht im Salzwasser gekocht, dünne blumenförmige Karotten, Kressearten, Bambussprossen, *shiitake* etc.

geben einen feinen Akzent. Sie können auch mit *nori* und *kamaboko* (Fischwurst mit weißer und roter Farbe) abwechslungsreich garnieren.

inarizushi (*sushi*-Reis in *aburaage*-Tasche)

Benutzen Sie fertige *aburaage* aus der Dose (*inarizushi no moto*). Meistens sind diese schon halbiert und an einer Seite offen.
Klappen Sie die Tasche auf und füllen Sie den *sushi*-Reis in die *aburaage*-Tasche, ohne ihn zu pressen. Dem normalen *sushi*-Reis können Sie feingeschnittenen Ingwer, Zitronenschalen oder gerösteten Sesam beigeben. Das ergibt dann jeweils ein anderes Aroma. Je nach Appetit sind 3—6 Stücke eine Portion.

makizushi (Reisrolle)

Je nach Füllung ist sie sehr variabel. Es gibt dicke (*hutomaki*) und dünne (*husomaki*) Rollen. Hier möchte ich folgende 4 wichtige *makizushi* vorstellen.

1. *tekkamaki:* roher Thunfisch, grüner Meerrettich und Reis in leicht geröstetem *nori* gerollt.

Rohes Thunfischfilet streifenförmig schneiden (nicht breiter als 1 cm, so lang wie eine Seite des *nori*-Blattes). Grünen Meerrettich raspeln oder pulverisierten grünen Meerrettich mit Wasser verkneten. Die Paste sollte ein wenig fester als Senf sein. Auf *makisu* (kleine Matten aus Bambus, die das Rollen erleichtern) ein halbiertes und leicht geröstetes *nori* ausbreiten, darauf

1 Handvoll Reis dünn und gleichmäßig verteilen. In die Mitte des Reises eine flache Rinne formen, in die zuerst grüner Meerrettich, je nach Geschmack (ca. ⅓ TL), gestrichen wird.
Darüber ein paar Thunfischstreifen legen. Das *makisu* vorne hochheben und so wickeln, daß eine ca. 20 cm lange Reisrolle entsteht, die mit einem geschliffenen Messer flink in 3 Stücke geschnitten wird. Mit einem dumpfen Messer drücken Sie den Reis, und die Rolle wird unförmig! Der Schnitt sollte frisch und appetitlich aussehen. Je nach Appetit sind 6—12 Stücke eine Portion.

2. *kappamaki:* frische Gurke, grüner Meerrettich, geröstete Sesamkerne und Reis in geröstetem *nori* gerollt.

Frische Gurke längs halbieren, die Kerne mit der Hand ausschaben, waschen und abtrocknen, in Streifen (von 5—10 mm Breite und *nori*-Länge: ca. 20 cm) schneiden. Danach wie bei *tekkamaki* mit Hilfe des *makisu* die Reisrolle herstellen. Anstelle des Thunfisches nehmen Sie die Gurke, anschließend leicht mit Sesam bestreuen, danach wickeln und schneiden.

3. *datemaki:* gekochter *kanpyou* und Reis in geröstetem *nori* gerollt.

kanpyou mit Salz einreiben, waschen und in dreifache *nori*-Länge schneiden. *kanpyou* in einer Brühe von 2 Tassen Grundbrühe (S. 26), 5 EL Sojasauce, 1 Schuß *mirin* und ½ EL Zucker kochen. Wenn die Kochbrühe auf etwa die Hälfte reduziert ist, unabhängig von der Anfangsmenge, ist *kanpyou* fertig. *kanpyou* in der Brühe abkühlen lassen, dann abtropfen. Nach dem oben beschriebenen Verfahren, allerdings ohne grünen Meerrettich, die Reisrollen formen. *kanpyou* wird für eine Rolle dreifach übereinandergelegt.

4. *shinkomaki:* angemachter Rettich und Reis mit geröstetem Sesam in *nori* gerollt.

Frischer *takuan: shinko* ist angemachter Rettich, der in Japan in Fässern (wie in Deutschland Sauerkraut) hergestellt wird. Sie können ihn in Spezialitätenläden in Dosen oder Plastikpackungen kaufen.
takuan abtropfen, wie die Gurke bei *kappamaki* schneiden. Anstatt grünem Meerrettich ein wenig gerösteten Sesam auf *takuan* streuen, danach ist das Verfahren dasselbe.
Sie können verschiedene *norimaki* (*makizushi*) zu einer Mahlzeit kombinieren.
Sie können nach Ihren eigenen Ideen außer den 4 beschriebenen Füllungen andere Zutaten benutzen und z. B. gebratenes Ei oder *shiitake* (in der gleichen Brühe wie *kanpyou* gekocht) verwenden. Sie wissen, was Sie zu jeder Jahreszeit auf dem Markt finden. Mit Ihrer Fantasie werden viele farbenfreudige und schmackhafte *norimaki* zustande kommen.

Über *sushi* könnte man noch viele Seiten schreiben, aber ohne die geeigneten Geräte und Zutaten hat dies leider keinen Sinn. Ich erwähne nur noch einige *sushi*-Arten. In Japan werden Sie noch weitaus mehr *sushi* erleben können.

bouzushi *sushi*-Reis mit marinierter Makrele und *konbu,* gepreßt.

chakinzushi — *sushi*-Reis mit Gemüse und Meeresfrüchten vermischt, in dünngebackene Eierfladen gewickelt, mit *kanpyou* zugebunden und gedämpft.

hakozushi — in verschiedenen Holzformen geformter *sushi*-Reis, mit Fisch und Gemüse garniert.

narezushi — gegorener *sushi*-Reis.

temakizushi — Zutaten: Roher oder Räucherlachs, gekochter Tintenfisch, gekochte und geschälte Garnelen und Shrimps, verschiedene Arten von Kaviar, roher Thunfisch, Gurken, *takuwan* oder *narazuke* (angemachtes Gemüse, Fertigprodukt), Kresse, Ingwer, *wasabi.*

Dazu: *sushi*-Reis, halbierte *nori* (geröstet), Sojasauce.

Den *sushi*-Reis in Schüsseln (wenn vorhanden, in Lack- oder Holzgefäßen) anrichten, die anderen Zutaten auf einer großen Platte servieren. Jede Person bekommt zusätzlich einen kleinen Teller.

Auf jedes *nori*-Blatt ca. 2 EL Reis legen, einige der in Streifen geschnittenen oben genannten Zutaten darauflegen und das Ganze zu einer kleinen Tüte rollen.

Die fertigen *temakizushi*-Tütchen werden in ein wenig Sojasauce getunkt und in 2—3 Bissen aus der Hand gegessen.

shabushabu

Ein geselliges Gericht mit einem Topf in der Tischmitte. Ein ziemlich modernes Gericht, das sich aber rasch verbreitet hat und sehr beliebt ist. Der Name kommt von dem beim Wenden des Materials im kochenden Wasser entstehenden Geräusch. Denken Sie an Fondue.

600 g Rinderlende (wie bei sukiyaki *S. 33 dünn schneiden)*
150 g Sojabohnensprossen
¼ Staude Chinakohl
½ Stück touhu (*oder* yakidouhu *aus der Dose)*
2 Stangen Lauch
beliebige Menge shiitake (*ersatzweise 200 g Champignons*)
10 g wakame, *wenn vorhanden eßbare Chrysanthemenblätter* (*ersatzweise ein wenig Petersilie)*
1 Stück Bambussprosse

Sauce
1. *ponzu* (Zitrussauce) für Gemüse:
Zitronensaft (frisch gepreßt) und Sojasauce, 1 : 1
2. *gomatare* (Sesamsauce) für Fleisch:
5 EL weißer Sesam, geröstet und gemahlen
1 Tasse Sojasauce
½ Tasse mirin
¼ Tasse Grundbrühe (S. 26)
1 EL sake
5 g Bonitospäne oder
¼ TL konbu-*Pulver*

Chinakohl kurz in Salzwasser kochen und abtropfen. Alle Gemüse in die passende Größe schneiden. *touhu* würfelförmig schneiden. Die Zutaten in der Küche anrichten, auf einem großen Teller ästhetisch garnieren und auf den Tisch stellen. Den ⅔ mit Grundbrühe gefüllten Kochtopf auf dem Tisch auf einer Einzelkochplatte oder einem Gasrechaud erhitzen. Wenn die

Brühe kocht, Zutaten mit Eßstäbchen nehmen und in die Brühe tauchen. Zuerst das Fleisch, dann das Gemüse. Das Fleisch wird in ca. 30 Minuten gar, dann gleich aufheben und mit *gomatare,* das Gemüse mit *pouzu* essen. Gemüse müssen meist nur einige Male in der kochenden Brühe gewendet werden, nicht zu lange kochen!

yakitori

Hühnchen auf kleinen Bambusspießen. Feinschmekker essen auch Hühnerleber, Herz und andere Innereien. Mit Gemüse, z.B. Zwiebel, Champignons, Paprika, Lauch oder Peperoni, abwechslungsreich gestalten.

Für 4 Personen:

1 Hühnchen
1 Zwiebel
3 Paprika

yakitori-Sauce:
200 ccm Sojasauce
200 ccm mirin
10 g Zucker
1 TL Stärkemehl

Hühnerfleisch in kleine Stückchen schneiden. Zwiebel und Paprika in die gleiche Größe schneiden. Fleisch und Gemüse abwechlsend auf kleine Bambusspieße stecken.
Inzwischen die Sauce vorbereiten: *mirin* einmal kochen, damit der Alkohol verdunstet, dazu Zucker und Sojasauce geben und kochen. Wenn es siedet, mit

Wasser verrührtes Stärkemehl dazugeben. Die Spieße grillen. Die Zutaten sollen ganz eng gesteckt werden, sonst verbrennt der Bambusspieß, und *yakitori* fällt ins Feuer. Wenn sie gar sind, in die Sauce tauchen und noch einmal grillen, bis sie knusprig werden. Am Ende nochmals in die Sauce tauchen und auf dem Teller servieren.

Variation:

Sie können die Spießchen auch statt mit Sauce mit ein wenig Salz bestreut grillen. Das schmeckt anders und ist leichter.

Suppen

Es gibt Suppen, die wir, wie Sie es kennen, am Anfang eines Menüs essen, normalerweise reichen wir aber die Suppe am Ende. Zum Frühstück wird alles zusammen serviert, die Suppe ist also auch von Anfang an dabei.
Traditionell unterscheiden wir 3 verschiedene Arten von Suppen:

1. *zatsuki:* (Tischbegleitung) — Anfangssuppe, meistens eine klare Suppe (*sumashijiru, osumashi*).

2. *hashiarai:* (Eßstäbchenspülung) — Zwischensuppe, um verschiedene Geschmacksrichtungen zu neutralisieren, sogenannte Pausensuppe. Einfach, mit gedämpftem Aroma, kleine Menge.

3. *tomewan:* (Schlußschälchen) — Suppe am Ende, meistens *misoshiru.* Kräftiger als andere Suppen.

Alle 3 Suppen in einem Menü werden jedoch sehr selten serviert. Dies geschieht nur bei besonders traditionellen Mahlzeiten. Sie können also japanische Suppe zu jedem Zeitpunkt servieren, der Ihnen richtig erscheint.
Stilecht werden Suppen in zugedeckten Lackschälchen serviert, aber so pedantisch wollen wir nicht sein. Wenn Sie die Suppe aber in dem gleichen Schälchen wie den Reis zu Tisch bringen, kann dies doch ernüchternd wirken. Dabei wäre es doch nicht so teuer, mehrere Suppenschälchen (*owan*) zu kaufen.
Wichtig bei Suppen ist das Aroma, das beim Aufmachen des Deckels emporsteigt. In diesem Aroma spürt man die Jahreszeit und das Können des Kochs. Hauptzutaten sind neben der Grundbrühe *miso,* Fische und Gemüse. Unterschiedliche Aromen erreichen wir durch verschiedene Zitronenarten, Bergpfeffer, Ingwer, Kressearten und Pflanzen der Saison.

sumashijiru

4 Tassen Grundbrühe (S. 26)
1 TL Salz
½ TL Sojasauce (wenn vorhanden usukuchijyouyu)

je nach Laune und Möglichkeiten folgende Zutaten:

aburaage	Mit dem heißen Wasser Ölgeschmack entfernen und in dünne Streifen schneiden, in die kochende Brühe geben und noch 1 Minute kochen. Für 4 Personen ca. 1 Stück.
Spinat	Gut waschen (nur schöne Blätter, ca. 10 g), kurz ins siedende Wasser tauchen, abtropfen, ca. 3 cm lang schneiden, in Suppenschälchen geben, darüber gekochte Brühe gießen.
Bambussprossen	Aus der Dose für 4 Personen ca. 50 g nehmen, in dünne Streifen schneiden, in die kochende Brühe geben, vom Feuer nehmen.
Gartenerbsen	Waschen, entfasern, in leichtem Salzwasser kurz kochen, abtropfen und in Suppenschälchen geben (3—5 Stück), darauf gekochte Brühe gießen. Mit *aburaage* oder Ei gut kombinierbar.

shiitake	(Ersatzweise Champignons.) Einweichen (wenn Champignons, nur leicht waschen), vierteln oder streifenförmig schneiden, in kochende Brühe geben, grünes Gemüse und *aburaage* passen gut dazu.
Lauch	In feine Streifen schneiden und in die fertige Suppe streuen, paßt gut zu *aburaage*.
wakame	Seekraut, wird wie Gemüse verwendet. 5—10 g einweichen, abtropfen, in die kochende Brühe geben, in 1 Minute fertig.
Schnittlauch	5—8 Stück waschen und fein schneiden, in die kochende Brühe geben, sofort vom Feuer nehmen.
Fische	Scholle, Seelachs etc. In die passende Größe und Form schneiden, in Salzwasser gar kochen, abtropfen, in Suppenschälchen geben, darauf warme Brühe gießen. Mit etwas Kresse oder feingeschnittener Zitronenschale bestreuen.
Rapsähre	Gut waschen, in Salzwasser leicht kochen, in kaltem Wasser abkühlen, abtropfen, kurz in mit Salz abgeschmeckte Grundbrühe tauchen, in Stärkemehl wenden, nochmals ins siedende Wasser tauchen, her-

	ausnehmen und abkühlen. In Suppenschälchen legen und kochende Brühe daraufgießen.
touhu	In kleine Würfel (etwa 1—2 ccm) schneiden, in das Schälchen einige Stücke geben, darauf die kochende Brühe gießen.
konnyaku	Einweichen, in Würfel schneiden, wie *touhu* verwenden (frischkäseartige Konsistenz).

Diese Zutaten können Sie einzeln oder kombiniert verwenden. Auf Aroma und schöne Farbe ist zu achten! Sie können ein paar kleine Stücke Zitronenschale, Petersilie oder Kresse, unabhängig von den Zutaten, auf der Brühe schwimmen lassen oder auch Bergpfeffer einstreuen.

kakitamajiru

(Klare Suppe mit Ei)

2 Eier
4 Tassen Grundbrühe (S. 26)
1 TL Salz
½ TL Sojasauce
ein wenig Stärkemehl
2 Stangen Petersilie
ein wenig Ingwersaft

In einen Kochtopf Grundbrühe, Salz und Sojasauce geben, sieden lassen. Stärkemehl mit gleicher Menge Wasser mischen und langsam in der Brühe verrühren. Die Eier wie »Verlorene Eier« langsam in die Brühe geben, mit Eßstäbchen einige Male umrühren, Ingwersaft dazugeben, mit Petersilie bestreuen.

misoshiru

3 Tassen Grundbrühe (S. 26)
60—80 g gemischtes miso (akamiso *und* shiromiso *1 : 2 oder 1 : 1*)

Sie kochen zuerst die Grundbrühe. Ähnliche Zutaten wie bei klarer Suppe einzeln oder kombiniert in die Brühe geben. Wenn die Zutaten gar sind, *miso* in die Brühe geben und verrühren. (Wenn *miso* zuerst gesiebt wird, wird die Suppe feiner.) In 1 Minute fertig. Wir erhalten so gewöhnlich *misoshiru,* die wir z. B. täglich beim Frühstück oder am Ende des Menüs essen. Versuchen Sie zur Abwechslung auch folgende Variationen:

nattoujiru

(misoshiru *mit gegorenen Sojabohnen*)

150 g nattou (*in Spezialitätenläden erhältlich*)
3 Tassen Grundbrühe (S. 26)
60 g akamiso
¼ Stange grüner Lauch
½ touhu

nattou auftauen, klein schneiden, *touhu* in 2 ccm große Würfelchen schneiden. Lauch streifenförmig schneiden und ins Wasser geben. Im Kochtopf die Grundbrühe kochen, *akamiso* dazugeben. Gleich danach *nattou, touhu* und Lauch in die Suppe geben.

misoshiru mit Zwiebel und Speck

2 dünne Scheiben Speck
8 große grüne Bohnen
½ Zwiebel
3 Tassen Grundbrühe (S. 26)
60 g shiromiso
20 g akamiso
¼ TL Salz
⅔ TL mirin

Speck klein würfeln. Bohnen kurz kochen und streifenförmig schneiden. Zwiebel klein schneiden. Speck braten, bis er knusprig wird. Zwiebeln und Bohnen zu dem Speck geben. Die Grundbrühe ebenfalls in die Pfanne geben. *touhu*-Würfel hinzufügen. *shiromiso* und *akamiso* in der Brühe verrühren. Mit Salz und *mirin* abschmecken.

surigoma no misoshiru

(misoshiru *mit gemahlenem Sesam*)

5—6 Stengel junger Huflattich	*4 Tassen Grundbrühe (S. 26)*
1 EL weißer Sesam	*80 g* miso
½ touhu	

touhu würfeln (1 ccm). Huflattich streifenförmig schneiden. Sesam rösten, zerreiben. Grundbrühe kochen, *miso* einrühren, dazu zerriebenen Sesam geben, *touhu* mitkochen. Nach dem Sieden vom Feuer nehmen. Die Huflattichstreifen in Schälchen geben, darüber die Suppe gießen.

agetouhumisoshiru

(misoshiru *mit gebackenem* touhu)

1 touhu	*60 g* shiromiso
2 EL Weizenmehl	*3 Tassen Grundbrühe (S. 26)*
2 Stangen grüner Lauch	
20 g akamiso	*ein wenig Pflanzenöl*

Einen *touhu* in 4 Stücke schneiden, in ein trockenes Tuch wickeln und 1—2 Stunden im Tuch lassen, damit überflüssiges Wasser vom Tuch abgesaugt wird. Den *touhu* mit Weizenmehl bestreuen. In 160—170°C heißem Öl backen, bis seine Farbe der eines Fuchses ähnelt. Den *touhu* herausnehmen, auf einen Korb stellen und mit heißem Wasser begießen. Damit vermeiden Sie den Ölgeschmack. Die Grundbrühe in den Kochtopf geben. Den *akamiso* und *shiromiso* hineinmischen. Den gebackenen *touhu* in Suppenschälchen legen, die gekochte *misoshiru* dazugießen und mit dünngeschnittenem Lauch bestreuen.

ushiojiru

(Meeressuppe)

Reste einer Meerbrasse (also Knochen mit Fleischresten, Flossen, Kopf etc., nachdem Sie z. B. sashimi *zubereitet haben)*	*4 Tassen Wasser* *1 großes Blatt* konbu *100 ccm Grundbrühe (S. 26)* *8 cm japanischer Spargel (oder frischer Spargel)*

Fischreste zurechtschneiden, leicht mit Salz bestreuen (häßliche Stücke nicht verwenden), 30—40 Minuten warten. Spargel schälen, in 4 Stücke schneiden und längs halbieren. Wasser, *konbu* und Fischreste im Kochtopf kochen. Abschäumen. Salzen (ca. $\frac{1}{3}$—$\frac{1}{2}$ TL Salz), Spargel 1—2 Minuten mitkochen (nicht weich kochen) und mit Bergpfefferpulver (*sanshou*) bestreuen.

hamaguri no ushiojiru

(Meeressuppe mit Venusmuscheln)

8 Venusmuscheln
4 Tassen Wasser
1 großes Blatt konbu
50 g Champignons
200 ccm Grundbrühe (S. 26)
Sojasauce
Salz

In Salzwasser die Muscheln den Sand »herausspukken« lassen, gut waschen. Champignons leicht waschen und in Scheiben schneiden. Wasser, Muscheln und *konbu* in den Kochtopf geben. Kochen, bis die Muscheln sich öffnen. Champignons in den Topf geben. Dazu kommen 1 Schuß Sojasauce und ½ TL Salz (nach Belieben). Etwas feingeschnittene Petersilie dazugeben. Mit ein paar ganz kleinen Zitronenschalenschnitzelchen bestreuen.

sabajiru

(Makrelensuppe)

1 Makrele
1 kleiner Rettich
1 großes Blatt konbu
sake
Salz

Von der Makrele das Filetstück abschneiden, Salz daraufstreuen und 3 Stunden ruhen lassen. Den Fisch kurz in siedendes Wasser tauchen, herausheben, in kaltes Wasser legen und gut putzen. Den Rettich streifenförmig schneiden, kurz im Salzwasser kochen und abtropfen. In den Kochtopf Wasser, Makrele und *konbu* geben. Kochen, bis sich genügend Geschmack entwickelt. 1 Schuß *sake* und ½ TL Salz dazugeben, dann den Rettich noch einige Minuten kochen.

Fischgerichte

Die wichtigsten Fischgerichte, *sushi* und *sashimi,* haben wir schon beschrieben. Man sagt, den besten und frischesten Fisch kann man roh essen oder grillen. Wenn der Fisch nicht mehr ganz so frisch ist, sollte man ihn backen und schließlich kochen.
Oft bedauere ich, daß man in Deutschland dieses oder jenes vermißt ... Es mag überheblich klingen, aber Sie verstehen vielleicht, daß es mein Wunsch ist, Ihnen unser Schönstes vorzustellen. Ein Bergpfefferblatt kann einem Fisch ein außergewöhnlich feines Aroma geben, und ich vermisse Bergpfeffer (*sanshou*) hier sehr. Trotzdem werden wir bestimmt gute japanische Fischgerichte kochen können.

maguro no wasabiae

(Frischer Thunfisch mit grünem Meerrettich)

300 g Thunfischfilet
1 Blatt nori
4 EL Sojasauce
ein wenig geraspelter Rettich
grüner Meerrettich

Thunfisch in kleine Stückchen schneiden. Grünes Meerrettichpulver mit Rettichsaft mischen, eine Paste kneten, die ein wenig fester als Senf ist. 1 EL dieser Paste mit der Sojasauce vermischen. Diese Mischung gleichmäßig über den Thunfisch gießen. *nori* in sehr feine Streifen schneiden und in einer Pfanne (ohne Öl) leicht rösten. Den Thunfisch in einem kleinen Schüsselchen servieren, darauf die *nori*-Streifen streuen. Eine pikante Vorspeise.

maguro no nuta

(Frischer Thunfisch mit miso-*Sauce)*

300 g Thunfischfilet
1 Bund Schnittlauch
2 EL Grundbrühe (S. 26)
2 TL Senf (wenn vorhanden, japanischer Senf)
5 EL shiromiso
Zucker
Essig
Sojasauce

Thunfisch in kleine Würfel schneiden (2 ccm), kurz in die Sojasauce tauchen. Schnittlauch in siedendem Wasser wenden, mit einem Messer das Wasser entfernen und in 3 cm lange Stücke schneiden. In einen kleinen Topf *shiromiso,* 2 EL Zucker und die Grundbrühe geben und auf schwachem Feuer verrühren. Vom Feuer nehmen. Die Mischung abschmecken und 2 EL Essig und Senf darin verrühren. Kurz vor dem Servieren Thunfisch und Schnittlauch mit der fertigen Sauce leicht beträufeln. In einem tiefen Schüsselchen appetitlich anrichten. Als Vorspeise oder *sake*-Snack geeignet.

kani no sunomono

(Krebssalat)

1 Dose Krebse (250 g)
1 kleine Gurke (¼ Salatgurke)

Sauce:
100 ccm Essig
150 ccm Grundbrühe (S. 26)
2 EL Sojasauce
1 EL Zucker
ein wenig Ingwersaft

Das gekühlte Krebsfleisch leicht zerpflücken. Sauce mischen. In einem kleinen Schüsselchen das Krebsfleisch anrichten, darauf die Sauce gießen. Mit streifenförmig geschnittener Gurke garnieren. Als Vorspeise geeignet. Beliebte *sake*-Begleitung.

takokyuuri

(Krakenarme und Gurke)

2 Arme einer Krake
2 frische kleine Gurken (ungeschält)
Salz
dünne Bambusspieße

Die beiden Krakenarme gut waschen und in Würfelchen schneiden. Gurke mit Salz bestreuen, auf dem Kochbrett leicht drückend hin und her rollen. Beide Enden der Gurke abschneiden, überflüssiges Salz abschütteln und ebenfalls in Würfelchen schneiden. Krakenarme und Gurke abwechselnd auf einen Bambusspieß stecken. 2 Spieße ergeben 1 Portion. Vorspeise für Feinschmecker.

tenpura (Rezept Seite 36) ▷

KIKKOMAN
SOY SAUCE
Kikkoman
SOY SAUCE

Alles schmeckt feiner
Würzsauce
sehr gut
SEIT 1630
KIKKOMAN
nach 350 Jahre altem Rezept
gebraute

ika no itozukuri

(Tintenfischstreifen mit Ingweressig)

2 Tintenfische
2 Blatt nori
3 kleine Gurken (oder ½ Salatgurke)
1 Ingwerknolle

Den Bauch des Tintenfisches aufschneiden, die Innereien entfernen, gut putzen, waschen, enthäuten, kurz in siedendes Wasser tauchen und mit einem trockenen Tuch abtrocknen, dann in feine Streifen (ca. 3 mm breit) schneiden. Beide Seiten des *nori* leicht rösten. Mit den Händen in kleine Stücke zerreiben. Gurke zuerst diagonal dünn in längliche Scheiben schneiden, dann in feine Streifen; nun in 100 ccm Wasser, in das Sie ½ EL Salz gegeben haben, tauchen. Nach wenigen Minuten die Gurkenstreifen gut abtropfen. Kurz vor dem Essen Gurke und Tintenfisch vermischen, *nori* daraufstreuen. In einem tiefen Schüsselchen die Mischung servieren. Zuletzt ein wenig geraspelten Ingwer zugeben. Als Vorspeise und zum *sake* geeignet.

◁ *Eiergelee* (Rezept Seite 102)

Fisch grillen

Beim Grillen muß man auf die richtige Temperatur, die richtige Entfernung zwischen Feuer und Fisch und auf die Zeit achten. Nur einmal drehen. Die Seite, die auf dem Teller oben liegen soll, zuerst mit 60 % der Grillzeit, dann die andere Seite mit 40 % der Grillzeit grillen; dies ist bei uns die klassische Methode. Früher grillte man mit Holzkohle, heute mit Gas oder elektrisch. Über dem Gaskocher befestigen Sie ein Metallnetz aus Asbest (ca. 5—6 cm hoch). Mit einem elektrischen Grillgerät können Sie so grillen, wie in Europa üblicherweise Fisch gegrillt wird. Der Fisch soll beim Grillen seine ursprüngliche Form nicht verlieren. Das Timing ist für den Geschmack und das Aroma eines Fisches von größter Bedeutung, aber es ist bei jedem Fisch anders. Es hat keinen Sinn, die jeweilige Zeitdauer des Grillens anzugeben. Sie müssen es riechen, und mit ein bißchen Übung können Sie das auch.
Das einfachste Grillgericht ist *shioyaki:* den Fisch mit Salz bestreuen und grillen. Weil dies an sich so einfach ist, muß besonders auf das Aussehen und das Aroma geachtet werden, denn in der schönen Form, dem guten Aroma und dem Geschmack zeigt sich das Können des Kochs.

unagi kawayaki

(Aal, gegrillt)

4 mittlere Aale
Bergpfefferpulver
(sanshou)

Sauce:
200 ccm sake
300 ccm mirin
30 g Kandiszucker
140 ccm Sojasauce
60 ccm tamarijyouyu

Aal ist besonders nahrhaft und kräftigt die Menschen im Sommer, wenn sie wegen der Hitze keinen Appetit haben. Deshalb haben wir, wenn der Sommer anfängt, Aal-Saison. Aale werden in Japan gezüchtet. Wenn die Superexpreß-Eisenbahn an der *hamamatsu*-Station vorbeifährt, kommen Verkäufer mit Grillaal-Lunchpaketen in die Wagen, denn im *hamana*-See in Mitteljapan werden die Aale gezüchtet. Wenn es im Wagen nach gegrilltem Aal duftet, kann man schwer widerstehen.
Können Sie sich vorstellen, daß Sie aus fließendem klaren Wasser einen Aal herausgreifen, auf ein Kochbrett nageln und ihn anrichten? Er läßt sich kaum greifen. Benutzen Sie also ein Notverfahren, das jeder Laie fertigbringt, kaufen Sie einen Aal, der nicht mehr lebt. Schneiden Sie den Kopf ab, öffnen Sie den Bauch, entfernen Sie die Innereien, putzen Sie ihn gut und ziehen Sie sein Rückgrat heraus. Danach wird der Aal in 3 Stücke zerschnitten. In jedes Stück zweimal mit einem Bambusspieß einstechen. Zuerst die Außenseite grillen. Wenn die Haut weiß gespannt ist, vom Feuer nehmen. In einen Dampftopf geben und die Spieße entfernen. Auf starkem Feuer 15 Minuten dämpfen.

Das überflüssige Fett tropft nun ab. Die gedämpften Aalstücke auf je 3 Spieße stecken. Die Filetstücke sind so besser gestützt. Gar grillen, in die Sauce tauchen. Dann nochmals knusprig grillen. Auf dem Teller die Spieße herausziehen, dabei die Form nicht zerstören. Mit Bergpfefferpulver leicht bestreuen.
Sie können den fertigen Fisch auf warmen Reis in eine große Reisschale legen, so entsteht *unadon* (*unagi*-Reis).

kurumaebi no onigawarayaki

(Steingarnelen, gegrillt)

8 Steingarnelen
Salz
wenn vorhanden
Bambusblätter zum Verzieren

Sauce:
100 ccm sake
200 ccm mirin
100 ccm Sojasauce

Von den Steingarnelen die Fühler und Scheren abschneiden. Den Rücken längs aufschneiden. 3—4 Spieße längs durchstechen. Auf starkem Feuer die Hülle knusprig grillen. Wenn der Fisch fast gar ist, die Sauce vorsichtig über den Rücken gießen. Wenn sie angetrocknet ist, nochmals kurz grillen. Die Spieße herausziehen. In 2 Stücke schneiden. Den Teller mit Bambusblättern verzieren, darauf die gegrillten Garnelen legen.

nishin no karashijyouyuyaki

(Hering mit Senfsauce)

2 mittelgroße Heringe
1 Tomate
4 kleine Radieschen
Zitronenschale

Senfsauce:
1 EL japanischer Senf
3 EL Sojasauce
2—3 EL Zucker
1 EL mirin

Von den Heringen das Filetstück abschneiden. Gräten entfernen. In die Haut diagonale Schlitze schneiden. Den Fisch in die Senfsauce tauchen. Auf dem Kochbrett den Hering zusammenrollen und auf Spießchen stecken. Er soll in Ringform gegart werden. Auf starkem Feuer, aber im richtigen Abstand die Heringsrolle langsam rotierend grillen. Ab und zu mit Sauce bestreichen. Radieschen putzen, in feine Streifen schneiden, je nach Geschmack ein bißchen Salz, Zucker und Essig darangeben. Neben den gegrillten Fisch ein kleines Häufchen Radieschenstreifen legen. Dazu einige Scheiben Tomaten als Farbkontrast.

ika no kimiyaki

(Tintenfisch, mit Eigelb gegrillt)

2 mittelgroße Tintenfische	*3—4 Brokkoli*
3 Eier	*Salz*
	mirin

Den Tintenfisch längs öffnen, ausnehmen, gut waschen, in 2 Stücke schneiden und auf Spießchen stekken. Die Eier mit 1 Schuß *mirin* und 1 Msp Salz verrühren. Diese Mischung auf den Tintenfisch streichen und so lange grillen, bis das Ei, wenn man es mit den Fingern berührt, nicht mehr klebt. Brokkoli in Salzwasser kochen, in kaltem Wasser abkühlen und abtropfen. Auf dem Teller ergeben die gelbe Farbe des Tintenfischs und das Grün des Brokkoli einen schönen Kontrast.

yakihamaguri

(Venusmuscheln, gegrillt)

12 große Venusmuscheln	*Salz*
Eiweiß	*Zitronensaft*

Muscheln gut waschen und im Salzwasser Sand »herausspucken« lassen. Eiweiß auf die Schalen streichen, darauf reichlich Salz streuen. Muscheln auf das Metallnetz (siehe S. 66) legen und über starkem Feuer gril-

len. Wenn die geöffneten Muscheln dampfen 1 Schuß *sake* und Zitronensaft darübergeben. Fertig.
Wichtig ist, daß die Muscheln nicht zu lange gegrillt werden. Das Fleisch wird leicht zäh. Auf jedem Teller 3 Stück servieren. Mit etwas Grünem (Bambusblätter, Petersilie etc.) garnieren.

katsuo no misozukeyaki

(Bonito mit miso-*Sauce)*

1 großes Stück Bonito
1 kg shiromiso
300 ccm mirin
60 ccm sake
wenn vorhanden Stangeningwer

Die Filetstücke des Bonitos leicht mit Salz bestreuen. 1 Stunde warten. Den Fisch mit kaltem Wasser waschen und abtrocknen. *miso, mirin* und *sake* mischen. In diese Mischung den Fisch legen. Nach 1 Tag die *miso*-Mischung leicht umrühren. 3—4 Tage warten. Nach 3—4 Tagen den Fisch herausnehmen (die *miso*-Mischung kann weggeworfen werden), schnell unter kaltem Wasser waschen. Den Fisch in Stücke von 50—60 g schneiden. Auf 1 Spießchen jeweils 2—3 Stücke stecken und grillen. Wenn sie gar sind, einmal mit *mirin* bestreichen. Den Spieß herausziehen und auf einem Teller mit Stangeningwer servieren.

buri teriyaki

(Gelbschwanz, gebacken)

800 g Gelbschwanz
(oder Heilbutt)
4 Chrysanthemenblätter
4 Chrysanthemenblüten

teriyaki-Sauce:
25 ccm sake
50 ccm mirin
50 ccm Sojasauce
10 ccm Reisgallerte
(mizuame)

Fisch in 200-g-Stücke schneiden, leicht mit Salz bestreuen und 2 Stunden warten. In eine Pfanne ein wenig Pflanzenöl geben. Die Fische backen, bis sie leicht fuchsfarbig aussehen. Die Sauce dazugeben. Auf kleiner Flamme weiterbacken, bis alles gerinnt. Den Teller mit Chrysanthemenblättern garnieren, darauf ein gebackenes Fischstück legen. Mit Chrysanthemenblumen verzieren. Wenn vorhanden, gesäuerte Ingwerstangen dazugeben.

iwashi no teriyaki

(*Sardellen* teriyaki)

6 große Sardellen
3 EL mirin
1 EL sake
1 EL Zucker

4½ EL Sojasauce
Pflanzenöl
Weizenmehl

Von den Sardellen das Filetstück abschneiden. Leicht mit Salz bestreuen und in Weizenmehl wenden. In der Pfanne 2 EL Pflanzenöl erhitzen, den Fisch leicht backen. Vom Feuer nehmen. In einen Kochtopf die Sojasauce, *mirin,* Zucker und *sake* geben und aufkochen lassen. In diesen Topf jetzt die Sardellen nebeneinander legen und backen. Einmal umdrehen. Backen bis der Fisch bräunlich wird, dann herausnehmen. Die Sauce im Topf weiter einkochen lassen und damit den servierten Fisch begießen. Wenn vorhanden, mit gesäuerten Ingwerscheiben garnieren.

sji no karaage

(Gebackene Stachelmakrele)

4 mittelgroße Stachelmarkelen
Weizenmehl
Pflanzenöl
geraspelter Rettich
Sojasauce

Stachelmakrelen leicht waschen und mit Salz bestreuen. 10 Minuten warten. Fisch mit trockenem Tuch abtrocknen. In Gaze (oder grobes Tuch) Weizenmehl geben, den Fisch einwickeln und die Haut des Fisches leicht klopfen. Überflüssiges Mehl wegschütten. Öl in die Pfanne geben. Zuerst die Seite, die auf dem Teller nach oben zeigen soll, backen. Umdrehen und gar backen. Den Fisch auf den Teller legen, mit dem Kopf nach links. Geraspelten Rettich neben den Fisch plazieren. Mit Sojasauce heiß essen!

ika no sugibayaki

(Tintenfisch, gebacken nach Zedernblätterart)

2 Tintenfische
4 Radieschen

Sauce:
2 EL sake
3 EL Sojasauce

Von dem Tintenfisch Innereien und Arme entfernen, enthäuten, gut waschen und abtrocknen. Den Rücken öffnen und in 4 Teile schneiden. Auf der Innenseite des Tintenfisches Schlitze schneiden (diagonal kariert). Tintenfisch 10 Minuten in die Sauce tauchen. 1 TL Pflanzenöl in der Pfanne erhitzen. Tintenfisch darin gar backen. Den Tintenfisch mit Radieschen garnieren.

katsuo no dorayaki

(Frikadellen aus Bonito)

400 g Bonito
10 g Ingwer
½ Stange Lauch
Petersilie
miso
Salz
Pflanzenöl

Bonito mit dem Kochwasser ganz fein zerschneiden (wie Hackfleisch). Ingwer und Lauch fein schneiden. Bonito, Ingwer, Lauch und Salz mischen, nochmals mit dem Messer hacken, daraus 8 Frikadellen formen. In der Pfanne 1½ EL Pflanzenöl erhitzen und die Frikadellen braten. Auf jeden Teller 2 Frikadellen geben und mit Petersilie garnieren.

iwashi misoni

(Sardellen mit miso*)*

12 frische Sardellen
100 ccm sake
30 ccm mirin
120 g miso (akamiso)
200 ccm Grundbrühe (S. 26)
Ingwersaft

Sardellen mit Salz und Wasser waschen, Köpfe abschneiden, Bäuche aufschneiden, Innereien entfernen, gut putzen und abtropfen lassen. Im Kochtopf Sardellen nebeneinander legen (nicht übereinander). Wenn Sie ein kleines Teeschälchen in die Topfmitte stellen, brennen die Fische nicht an. In den Topf *sake, mirin* und Ingwersaft geben, mit dem Deckel, der kleiner ist als der Topf, zudecken, nur die Zutaten werden bedeckt. Auf starkem Feuer erhitzen. Wenn er kocht, den Sud entfernen. Eine Mischung von *miso* und Grundbrühe dazugeben. Auf schwachem Feuer weiterkochen. Die Fische auf Tellern servieren und mit der Kochbrühe übergießen.

saba no misoni

(Makrelen mit miso [sanshou]*)*

2 Makrelen
Bergpfefferpulver

die gleichen Gewürze wie bei den Sardellen (iwashi misoni)

Makrelenfilets in 3 Stücke schneiden. Dann wie die Sardellen zubereiten.

ebi to takenoko no misoni

(Shrimps und Bambussprossen mit miso*)*

600 g Bambussprossen
rote Peperoni
200 g Shrimps
2 konnyaku
600 ccm Grundbrühe (S. 26)

Petersilie
mirin
Sojasauce
miso

Bambus aus der Dose klein schneiden. Shrimps putzen und waschen. Schälen, dabei den Schwanz nicht entfernen. *konnyaku* in 6 Stücke schneiden. Im Topf die Grundbrühe mit ⅓ Tasse Sojasauce und ¾ Tasse *mirin* kochen. In diese kochende Brühe Bambus, Shrimps und *konnyaku* geben. Kochen lassen, bis die Hälfte der Brühe verdampft ist. 2 EL *miso* dazugeben. Weiterkochen, bis die Kochbrühe fast alle ist. In Schüsselchen, mit Petersilie garniert, servieren.

aji no suni

(Stachelmakrele mit Essig)

4 Stachelmakrelen
8 shiitake *(Chinapilze)*
½ Karotte
½ Zitrone

Kochbrühe:
300 ccm Essig
300 ccm Grundbrühe *(S. 26)*
5 EL sake
5 EL mirin
5 EL Sojasauce

Stachelmakrelen jeweils in 2 Stücke schneiden. In eine Schüssel heißes Wasser geben, den Fisch hineingeben. Dann ein wenig kaltes Wasser zugeben und den Fisch herausnehmen. Die Schuppen entfernen. Den Fisch in kaltem Wasser waschen und abtropfen lassen. Karotte 1 cm dick blumenförmig zurechtschneiden. Im Salzwasser zusammen mit den *shiitake* leicht kochen. Kochbrühe in den Kochtopf geben, dazu Fisch, *shiitake* und Karotte geben. Einen kleinen Deckel direkt auf die Zutaten legen. Einmal aufkochen lassen, Flamme klein stellen und 4—5 Minuten weiterkochen. Den Fisch, *shiitake* und Karotte appetitlich in eine Schüssel plazieren und mit dünnen Zitronenscheiben dekorieren.

saba no oroshini

(Makrele mit geraspeltem Rettich)

1 große Makrele
ca. 400 g Rettich
4 Stangen Lauch
Weizenmehl
Backöl

Kochbrühe:
400 ccm Grundbrühe (S. 26)
200 ccm sake
4 EL mirin
5 EL usukuchijyouyu *(oder normale Sojasauce)*

Makrelenfilet in 2 Stücke schneiden, in Weizenmehl wenden. Den Fisch in Öl von ca. 170°C gar backen. Fisch aus dem Öl nehmen, in einen Korb legen, kochendes Wasser daraufgießen und damit das Öl abwaschen. Lauch in 5 cm lange Stücke schneiden. Rettich schälen und raspeln. Den geraspelten Rettich auf dem Bambuskorb abtropfen lassen. In den Topf die Kochbrühemischung geben und die Makrele kochen. Wenn die Kochbrühe zur Hälfte verdampft ist, Rettich und Lauch zugeben. Mit einem kleinen Deckel die Zutaten bedecken, 2 Minuten kochen. Auf einem Teller zusammen mit der Kochbrühe servieren, den Fisch mit feinen grünen Lauchstreifen bestreuen. Dieses Rezept können Sie mit Stachelmakrele, Sardellen oder auch mit Hühnerfleisch variieren.

ebi kimini

(Garnele mit Eigelb)

8 Steingarnelen
1 kleiner Kürbis
2 Eigelb
1 EL Stärkemehl

3 EL sake
6 EL mirin
4 EL usukuchijyouyu
(oder normale Sojasauce)

Kochbrühe:
600 ccm Grundbrühe
(S. 26)

Die Garnelen herrichten, Innereien aus dem Rücken entfernen, danach in 2 Stücke schneiden. Kürbis in etwa 4 ccm große Würfel schneiden, vorkochen und in der Suppenbrühe abschmecken. Die Kochbrühe kochen. Kurz vor dem Sieden die Temperatur reduzieren. Steingarnelen in Stärkemehl wenden und in geschlagenes Eigelb tauchen. So in die kochende Brühe geben und gar kochen. Die Garnelen und den erwärmten Kürbis in einer Schüssel servieren. Wenn vorhanden, mit einem Chrysanthemenblatt garnieren; reichlich Kochbrühe daraufgießen.

unagi no inrouni

(Aal mit Sojasauce)

2 mittelgroße Aale

Kochbrühe:
5 EL sake
4 EL mirin

2½ EL Zucker
5 EL Sojasauce
2½ tamarijyouyu
200 ccm Grundbrühe
(S. 26)

Aalkopf abschneiden, Innereien entfernen, gut putzen, waschen und abtropfen. Aal in mundgerechte Bissen schneiden, auf Spießchen stecken und grillen, bis die Haut knusprig ist. Auf schwachem Feuer dämpfen (15 Minuten). Die Kochbrühe in einen Kochtopf geben und erhitzen. Wenn sie aufkocht, Aalstücke zugeben. Mit einem Löffel ab und zu Brühe auf den Fisch gießen und bei schwacher Hitze kochen. Auf dem Teller mit feingeschnittenem Ingwer garnieren.

kokabu to nishin no misoni

(Heringe und Radieschen mit miso*)*

2 Heringe
8 Radieschen
etwas Schnittlauch
2½ Tassen Grundbrühe
(S. 26)

Zucker
sake
miso

Den Fischen den Kopf abschneiden, dann die Heringe jeweils in 2 Stücke teilen. Im Kochtopf 80 g *akamiso,* 2 EL Zucker und 3 EL *sake* mischen und erhitzen. Wenn es siedet, Heringsstücke hineingeben und kochen, bis sie weich werden. Radieschen schälen, in den Topf geben und mitkochen, bis sie weich sind. Schnittlauch fein schneiden. Auf dem Teller je 1 Heringsstück mit Radieschen garnieren, darauf Schnittlauch streuen.

aji to wakame no nitsuke

(Stachelmakrele mit wakame*)*

4 mittlere Stachelmakrelen
½ Karotte
ein kleines Stück Ingwer
5 g wakame *(Seekraut)*
4 Stangen Petersilie (wenn vorhanden, auch Bergpfefferblätter)
Öl

Kochbrühe:
200 ccm Grundbrühe (S. 26)
3 EL sake
3 EL mirin
4 EL Sojasauce
1 TL Zucker

Stachelmakrele gut putzen, Kopf abschneiden, Innereien entfernen, mit kaltem Wasser waschen, abtrocknen. Auf der Haut diagonale Streifen einschneiden. *wakame* im Wasser einweichen und in 3—4 cm Länge schneiden. Die Kochbrühe in die Pfanne geben. Wenn sie kocht, die Fische auf dem Boden nebeneinander legen, einen kleinen Deckel unmittelbar auf die Fische legen. Wenn der Fisch gar ist, *wakame* dazugeben. Hitze reduzieren. Wenn die Kochbrühe fast ganz verdampft ist, Feuer ausschalten. Inzwischen Karotten klein schneiden und mit Salz und Zucker dünsten. Einen Schuß Salatöl daraufgeben. Fische mit Karotten garnieren. Mit Petersilie Akzente setzen.

karei no nitsuke

(Gekochte Scholle)

4 Schollen (180—200 g pro Stück)

Kochbrühe:
3 EL Zucker
3½ EL Sojasauce
2 EL mirin
200 ccm Grundbrühe (S. 26)

Schuppen und Innereien entfernen, die Fische gut putzen und auf der Haut diagonale Schlitze einschneiden. Grundbrühe zum Kochen bringen. Die Fische nebeneinander auf den Topfboden legen. Auf starkem Feuer ca. 7 Minuten kochen. Die Hitze reduzieren. Wenige Minuten einkochen lassen. Mit feinen Ingwerstreifen garnieren.

sake no nitsuke

(Lachs mit Sojasauce)

4 Lachssteaks
4 EL Grundbrühe (S. 26)
2 EL sake
2 EL mirin
1 EL Zucker
3 EL Sojasauce
Salz

Die Lachssteaks mit Salz bestreuen. 10 Minuten warten, dann auf einem Rost oder im Backofen gar grillen. Grundbrühe, *sake, mirin,* Zucker und Sojasauce vermischen, dann erhitzen. Wenn die Brühe kocht, den Lachs hineingeben. Bei schwacher Hitze einkochen. Paßt gut zu frisch gekochtem Reis.

Fleisch

Wie schon erwähnt, wird in Japan erst seit kurzer Zeit Fleisch gegessen. Dennoch entwickelte sich rasch eine charakteristische Kochkunst in diesem Bereich. Gegessen werden Rindfleisch, Schweinefleisch, Hühnerfleisch, ab und zu Ente, selten Wildschwein etc. Reh wird in Japan kaum gegessen. Jedes Volk hat besondere Beziehungen zu verschiedenen Tieren. Hier wird dieses und da jenes gegessen, anderswo ist es ungewöhnlich oder sogar tabuisiert. Hunde essen wir entgegen manchen Gerüchten nicht. Das tun unsere Nachbarn.

Rindfleisch

Abgesehen von *sukiyaki* und *shabushabu* ist der *teriyaki*-Stil typisch. Allerdings kann man auch Hühner- und Entenfleisch sowie verschiedene Fische auf *teriyaki*-Art zubereiten.

Rinderlende teriyaki

4 dicke Lendenscheiben (1 Scheibe ca. 200—250 g, es können aber auch 8 kleinere Scheiben sein)
8 Radieschen
Salatblätter

Sauce:
1½ EL Zucker
4 EL Sojasauce
1 EL Salatöl
1 TL Ingwersaft nach Geschmack
1—2 Knoblauchzehen

Essigmischung für die Radieschen:
3 EL Essig
3 EL Grundbrühe (S. 26) oder Wasser
2 EL Zucker
½ TL Salz

Radieschen schälen und in Salzwasser legen. Einige Minuten abtropfen lassen, dann in die Essigmischung legen. Die Zutaten für die Sauce mischen. Kurz vor dem Essen das Fleisch schnell in der Sauce wenden, mit Salatöl bestreichen und auf starkem Feuer gar grillen. Während des Grillens ein paarmal mit der Sauce bestreichen. Nach Geschmack auch knusprig grillen. Auf Salatblättern das gegrillte Fleisch servieren und mit den gesäuberten Radieschen verzieren.

Lendenstück — miso-Topf

600—800 g Lendenfleisch, dünn geschnitten
12 Champignons
2 Stangen Lauch
1/3 Karotte
3 Weißkrautblätter
120 g Bambussprossen
20 Stück frische Erbsen
100 g Spinat, dazu — wenn vorhanden — je 1 Stück konnyaku *und* yakidouhu

Kochbrühe:
600 ccm Grundbrühe (S. 26)
20 g akamiso
60 g shiromiso
1/2 EL sake
1 EL mirin

Kochbrühe in den Kochtopf gießen und erhitzen. Fleisch dazugeben und garen, danach die verschiedenen Zutaten in die passende Größe schneiden und in der Brühe kurz kochen lassen. Erinnern Sie sich an *shabushabu* (S. 48).

gyuuniku to daikon no nitsuke

(Rindfleisch mit Rettich)

250 g Rindfleisch, geschnetzelt
600 g Rettich
1 EL Reis
1 EL sake
3½ TL Zucker
1 TL Salz
3 EL Sojasauce
200 ccm Grundbrühe (S. 26)
1 Msp Bergpfefferpulver (sanshou)

Rettiche in 1,5 cm dicke Halbringe schneiden. Bei großen Rettichen in Viertelringe. In einen Kochtopf etwa die gleiche Menge Wasser wie Rettich geben. Den Reis in Gaze einwickeln, in den Kopftopf hängen lassen und mitkochen. Der Reis wird danach weggeworfen — er dient nur dazu, den Geschmack des Rettichs zu mildern. Wenn es siedet, Hitze auf mittlere Stärke reduzieren. Weiterkochen, bis der Rettich weich wird. In einen anderen Topf *sake,* Zucker, Salz und Sojasauce geben und bei starker Hitze aufkochen. Das Rindfleisch in diese Brühe geben und garen. Den weichgekochten Rettich abtropfen lassen und in die Brühe des anderen Topfs geben. Einen kleinen Deckel unmittelbar auf den Rettich legen. Auf kleiner Flamme noch ca. 25 Minuten kochen lassen. Fleisch und Rettich in einem Schüsselchen appetitlich anrichten. Darauf ein wenig Bergpfefferpulver streuen.

gyuuniku to jyagaimo no itameni

(Rindfleisch mit Kartoffeln)

200 g Rindfleisch
300 g Kartoffeln
3—4 Stangen Petersilie
Stärkemehl
Öl
Sojasauce
sake
Pfeffer

Kartoffeln in feine Streifen schneiden und in kaltes Wasser legen. Rindfleisch streifenförmig schneiden, mit 1 EL Sojasauce und ½ EL *sake* würzen und mit Stärkemehl bestreuen. Öl auf mittlerer Flamme erhitzen, das Fleisch zugeben, leicht umrühren und braten. Wenn das Fleisch eine schöne Farbe zeigt, vom Feuer nehmen. Öl aus der Pfanne weggießen. In die gleiche Pfanne die Kartoffeln geben und gar braten, dazu 1½ EL Sojasauce geben. Das Fleisch in die Pfanne zurückgeben, mit den Kartoffeln mischen, ein paar Minuten braten. Mit Pfeffer bestreuen. Feuer ausstellen.
»Rindfleisch mit Rettich« und »Rindfleisch mit Kartoffeln« sollten mit ein paar anderen Gemüsegerichten kombiniert angeboten werden. Zu einer normalen Mahlzeit werden 2—3 Gerichte und eine Supper serviert. Jedes Gericht kommt auf einen separaten Teller oder ein separates Schüsselchen. Nicht alles zusammen anrichten!

buta no yakiniku

(Schweinefleisch, gebraten)

300 g Schweinefleisch, dünn geschnitten
1 Zwiebel
1 Stange Sellerie
2 Paprikaschoten
¼ Karotte
50 g Spinat
50 g Sojabohnensprößlinge

Sauce:
5 EL Sojasauce
1 EL Zucker
1 EL sake
1 EL Sesamöl

Die Zutaten für die Sauce in einer Schüssel gut mischen. Fleisch in die Sauce legen und 30 Minuten marinieren lassen. Gemüse in 4—5 cm lange Streifen schneiden. Pflanzenöl in die Pfanne geben, geschnittene Gemüse und Sojabohnensprößlinge gar dünsten (sie sollten nicht zu weich werden, sondern frisch und fest sein). Gemüse und Fleisch vermischen, die übrige Sauce daraufgießen, alles zusammen braten.

butahikiniku to nasu no itame

(Schweinehackfleisch mit Auberginen)

100 g Schweinehackfleisch
8 Auberginen (oder 4 sehr große)
1 EL gehackter Lauch
1 EL Sojasauce
1 EL sake
1 EL Zucker
1 TL Essig
Stärkemehl
Öl
Knoblauch
Ingwer

Auberginenkelche abschneiden, längs in 4 lange Stükke schneiden, in kaltes Wasser legen, abtropfen lassen, abtrocknen und in einer Pfanne leicht braten. 2 EL Öl erhitzen, je 1 TL gehackten Ingwer und Knoblauch zugeben und leicht anbraten. Dann das Fleisch hinzugeben und mitgaren, mit *sake* begießen, Auberginen zufügen, dazu eine Mischung von Zucker, Sojasauce und Essig geben und alles gar dünsten. 1 EL Stärkemehl mit der gleichen Menge Wasser verrühren und dazugießen. Wichtig ist, daß die Auberginen nicht zu lange vorher gebraten werden, denn sie ändern schnell ihre Farbe.

butaniku to ingen no itame

(Schweinefleisch mit Bohnen)

150 g Schweinefleisch, dünn geschnitten
300 g Bohnen
1 TL gehackter Knoblauch
1 TL gehackter Ingwer
1 EL gehackter Lauch
1 TL Stärkemehl
Würze

Schweinefleisch in 2—3 cm lange Streifen schneiden. Mit 1 EL Soja, ½ EL Zucker und 1 EL Pflanzenöl vermischen. In dieser Sauce das Fleisch wenden und mit Stärkemehl bedecken. 2 EL Pflanzenöl in eine Pfanne geben und mit 3—4 cm lang geschnittenen Bohnen braten. Darauf 1 Tasse Wasser und 1 TL Salz geben, die Pfanne zudecken. Wenn die Bohnen weich sind, vom Feuer nehmen und Bohnen abtropfen lassen. Frisches Öl in der Pfanne erhitzen. Knoblauch, Ingwer und Lauch andünsten, dazu das Fleisch geben und gar braten. 1 EL Sojasauce in die Pfanne geben, die Bohnen beimischen. Mit 1 Schuß Sesamöl begießen.

butaniku no tatsutaage

(Schweinefleisch mit Soja und Ingwer)

300 g Schweinefleisch
1½ EL Sojasauce
1½ EL sake
120 g Erbsen
Stärkemehl
Ingwersaft

Schweinefleisch in kleine Würfel schneiden und mit dem Messerrücken klopfen. Sojasauce, *sake* und einen

Schuß Ingwersaft vermischen. Das Schweinefleisch darin marinieren, dann abtropfen lassen und in Stärkemehl wenden. 3 Minuten ruhen lassen. Das Fleisch in 170 °C heißem Öl stückchenweise backen. Wenn die Ölblasen um das Fleisch herum klein werden, ist es gar. Die Erbsen inzwischen in Salzwasser weich kochen und im Sieb abtropfen lassen. Erbsen auf kurze Spießchen stecken und im gleichen Öl backen. Fleisch und Erbsen schön garnieren. Dieses Gericht können Sie mit Hühnerfleisch variieren.

butaniku no misoyaki

(Schweinefleisch mit miso*)*

4 Scheiben Schweinelende (je ca. 100 g)
200 g Sojabohnensprößlinge
¼ TL gehackter Knoblauch
ein wenig weißer Sesam
1 rote Peperoni
Salz
Essig
Zucker
sake

Jede Scheibe Fleisch schräg in 3 Stücke schneiden. Peperoni in kleine Ringe schneiden, mit Knoblauch und *miso* mischen, *sake* dazugeben. Diese Sauce auf das Fleisch gießen. Sesam leicht anrösten und fein schneiden. Sojabohnensprößlinge leicht kochen, abtropfen lassen, mit Salz und Essig bespritzen und in eine Mischung von 3 EL Essig, ½ EL Salz und 1½ EL Zucker tauchen. Überflüssige Sauce vom Fleisch wegschütten und beide Seiten gar grillen. Auf dem Teller, wenn keine Bergpfefferblätter vorhanden sind, mit Petersilie garnieren, darauf Sesam streuen.

hikiniku no shiitake tsumeage

(Hackfleisch mit shiitake*)*

200 g Schweinehackfleisch
1 EL gehackter Lauch
1 TL gehackter Ingwer
1 Ei
12 shiitake

Sauce:
300 ccm Grundbrühe (S. 26)
1½ EL Sojasauce
1 EL sake
½ EL Zucker
4 Blätter Eissalat
1 Stange Lauch

Fleisch, gehackten Lauch und Ingwer, Ei und ⅓ TL Salz gut mit der Hand vermischen. Von eingeweichten *shiitake* die Füßchen abschneiden, die innere Seite mit Stärkemehl bestreuen, die Hackfleischmischung hineinfüllen. Die gefüllten *shiitake* in auf 180°C erhitztes Öl mit der Fleischseite nach unten eintauchen. Wenn die Fleischoberfläche fest wird, *shiitake* herausnehmen. Inzwischen die Sauce einmal aufkochen und auf die gebackenen *shiitake* geben, zudecken, ca. 10 Minuten kochen lassen. Eissalat mit ein wenig Salz leicht anbraten. Lauch in feine Streifen schneiden und in Wasser legen, abtropfen lassen. Eissalatblätter auf den Teller legen und darauf die gefüllten *shiitake,* mit frischen Lauchstreifen garniert, servieren.

toriniku no chikuzenni

(Hühnerfleisch, chikuzen-*Stil)*

200 g Hühnerbeine
1 Stange Schwarzwurzel
100 g Bambussprossen
4 shiitake *(Chinapilze)*
100 g Karotten
1 konnyaku
20 g frische Erbsen
2 TL gehackter Ingwer
Zucker
sake
Sojasauce

Hühnerfleisch, Schwarzwurzel, Bambus und Karotte zurechtschneiden. *shiitake* einweichen, vierteln, *konnyaku* daumengroß zerteilen, 1 TL Sojasauce dazugeben und ohne Öl in einer beschichteten Pfanne leicht braten. Ein kleines Stück Karotte blumenförmig schneiden. Frische Erbsen leicht mit Salz kochen. Das Hühnerfleisch in eine Sauce aus Ingwer, 2 EL Zucker, 2 EL *sake* und 3 EL Sojasauce geben und vorkochen. Hühnerfleisch herausnehmen. Öl in einer extra Pfanne erhitzen. Gemüse und *konnyaku* darin dünsten, bis sie weich sind. 3 EL Zucker dazugeben. Noch 10 Minuten kochen, 4 EL Sojasauce und 2 EL *mirin* zugeben. Die Fleischsauce dazugeben und weiterkochen, bis nur ein Viertel davon übrig ist. Am Ende das Fleisch noch einmal mitkochen. Wenn es heiß ist, vom Herd nehmen.

toriniku no karaage

(Hühnerfleisch, leicht gebacken)

800 g Hühnerfleisch mit Knochen
Salatblätter
Bergpfefferpulver
Salz

Sauce:
1 EL sake
2—3 EL Sojasauce

Hühnerfleisch in reichlich Wasser waschen. In einer Schüssel *sake* und Sojasauce vermischen, das kleingeschnittene Fleisch hineintauchen. 30 Minuten ziehen lassen. Fleisch abtropfen lassen. Öl auf mittlerer Flamme erhitzen. Je 3—4 Fleischstücke goldbraun backen. Salatblätter auf den Teller legen, darauf das Fleisch anrichten. Mit einer Mischung von Salz und Bergpfefferpulver (*sanshou*) bestreuen.

toriniku no misoniage

(Hühnerfleisch mit miso*)*

350 g Hühnerfleisch
100 g Gartenerbsen

Sauce:
1 EL sake
1 EL miso
2 EL Sojasauce
Salz
Öl

Hühnerfleisch in Würfel schneiden. In einer Schüssel *sake, miso* und Sojasauce vermischen, das Hühnerfleisch hineingeben. 2 EL Öl in der Pfanne erhitzen, Erbsen leicht braten, dazu 200 ccm Wasser und 1 TL Salz geben, zudecken und kochen, bis sie weich werden. Überflüssigen Saft wegleeren. Hühnerfleisch aus der Sauce nehmen, abtropfen lassen. In einer anderen Pfanne Öl erhitzen, darin das Hühnerfleisch knusprig braten. Auf einen Teller zuerst die Erbsen geben, darauf das Hühnerfleisch legen.

torikatsu no wakegisousukake

(Hühnerschnitzel mit Schnittlauchsauce)

4 Hühnerschnitzel
à 150 g
1/3 Tasse feingeschnittener
Schnittlauch
3 EL Petersilie,
fein geschnitten
2 TL Zitronensaft
4 EL Butter
Weizenmehl
1 Ei
Paniermehl
Zitronen
Öl

Das Hühnerfleisch mit Salz und Pfeffer einreiben, mit Weizenmehl bestreuen, zuerst in verrührtem Ei, dann in Paniermehl wenden. Öl in der Pfanne erhitzen und das Fleisch so lange braten, bis es die Farbe eines Fuchses annimmt. In der anderen Pfanne 4 EL Butter erhitzen, Petersilie und Schnittlauch hineingeben, mit Zitronensaft beträufeln. Die Schnitzel in breite Streifen schneiden, mit Zitronenscheiben garnieren und mit der Schnittlauchsauce begießen.

toriniku to yasai no takiawase

(Hühnerfleisch und Gemüse)

500 g Kartoffeln
200 g Hühnerfleisch
400 ccm Grundbrühe (S. 26)
4 Schoten frische Erbsen
2 EL sake
4 EL Zucker
3 EL Sojasauce
1½ TL Salz
Öl

Kartoffeln schälen, in mundgerechte Würfel schneiden und in kaltes Wasser legen. Erbsen mit Salz kochen. Mit einer Gabel in das Hühnerfleisch einstechen, damit der Geschmack der Würze das Fleisch durchdringen kann. Öl erhitzen, die Kartoffeln darin braten, das Fleisch dazugeben und mitbraten. Wenn alles gar wird, Zucker, Sojasauce, Salz und *sake* zugeben. Bei schwacher Hitze kochen, bis die Sauce fast verdunstet ist. Am Ende die Erbsen beifügen. In einer tiefen Schüssel, mit Rücksicht auf die Farbkombination, Kartoffeln, Fleisch und Erbsen servieren.

toriniku no syouyuni

(Hühnerfleisch mit Soja)

600 g Hühnerfleisch
½ Stange Lauch
Ingwer
Sojasauce
Zucker
sake

Hühnerfleisch gut putzen, mit kaltem Wasser waschen und im sprudelnden Wasser kochen, bis die Oberflä-

yudouhu (Rezept Seite 115) ▷

che weiß wird. Lauch zylinderförmig schneiden. In einem Kochtopf Fleisch, Lauch, dünne Scheiben Ingwer (ca. 10 g), 3 EL Sojasauce, 1 EL *sake,* 1 EL Zucker und 3 Tassen Wasser geben und auf großer Flamme erhitzen. Sobald der Siedepunkt erreicht ist, bei geringer Hitze weiterkochen, bis kaum noch Sauce bleibt. Vom Herd nehmen. Das Fleisch im Topf diagonal in breite Streifen schneiden. Auf dem Teller die Fleischstreifen mit Salatblättern garnieren.

toriniku to hamu no itame

(Hühnerfleisch und Schinken)

200 g Schinken
200 g Hühnerfleisch
1 Eiweiß
200 g Spinat
1 TL Stärkemehl
Zucker
Öl
sake
Pfeffer

Schinken und Hühnerfleisch in Streifen schneiden. Eiweiß gut verrühren und die Hühnerfleischstreifen hineintauchen. Hühnerfleischstreifen in Stärkemehl wenden, gar braten. Spinat gut waschen, abtropfen lassen und in Öl andünsten, ½ Tasse Wasser und ½ TL Salz dazugeben, zudecken und garen. Den Schinken in Öl braten, Hühnerfleischstreifen zufügen, mit 2 EL *sake* beträufeln, kurz braten, ½ TL Zucker dazugeben, mit Pfeffer bestreuen. Vom Feuer nehmen. Auf den Teller zuerst den Spinat legen, darauf den gebratenen Schinken und die Hühnerfleischstreifen geben.

◁ *sushi* (Rezept Seite 41)

Hühnchen auf Sojakeimen

(Foto gegenüber S. 129)

Für die Marinade:
4 EL Sojasauce
1 TL Sesamöl
4 TL Zucker
4 EL Reiswein oder Sherry

4 ausgelöste Hühnerbrüstchen (mit Haut)
2 EL Öl

1 Scheibe Ingwerwurzel (2 cm stark)
1 Knoblauchzehe
1 Schalotte
1 dünne Lauchstange
500 g Sojakeime
2 EL Sojasauce
4 EL Hühnerbrühe
½ TL Zucker
Pfeffer
2 Frühlingszwiebeln

Für die Marinade die Sojasauce, das Sesamöl, den Zucker und den Reiswein aufkochen, bis der Zucker restlos aufgelöst ist. Etwas abkühlen lassen. Die Hühnerbrüstchen gleichmäßig mit der Marinade übergießen. Am nächsten Tag die Brüstchen abtropfen lassen. Im heißen Öl auf beiden Seiten anbraten, dabei immer wieder mit der Marinade einpinseln. Die Hühnerbrüstchen dann in Folie eingewickelt noch einige Minuten ziehen lassen.
Inzwischen den feingehackten Ingwer, Knoblauch und Schalotte kurz in der Pfanne anbraten, den in schmale Ringe geschnittenen Lauch hinzufügen. Die Sojakeime zum Schluß 1 Minute lang mitschwenken. Die Sojasauce und die Hühnerbrühe angießen. Mit Zucker und Pfeffer würzen. Die feingeschnittenen Frühlingszwiebeln hinzufügen, alle Zutaten vermengen. Dann auf eine große tiefe Platte breiten. Die quer in 5 mm dünne Scheiben geschnittenen Hühnerbrüstchen dachziegelartig darauf anrichten. Sofort servieren.

Eierspeisen

Bei Eierspeisen unterscheiden wir zwischen zwei Richtungen: Bei der ersten Art spielt die Eigenschaft des Eies eine wichtige Rolle. Es ist Hauptbestandteil der Speise. Bei der zweiten spielt das Ei nur eine Nebenrolle, es ist Bindemittel oder akzentuiert bzw. unterstützt den Geschmack von anderen Zutaten (vgl. *sukiyaki, tenpura*). Bei den folgenden Gerichten spielt das Ei die Hauptrolle.

chawanmushi

(Dampfeier)

4 Eier
4—8 Shrimps
Bergpfefferblätter (oder Petersilie)
2½ Tassen Grundbrühe (S. 26)
Sojasauce
Salz

Grundbrühe einmal aufwärmen, darin ½ TL Salz, 2 TL Sojasauce (oder *usukuchijyouyu*) mischen und abkühlen lassen. Geschlagene Eier in der Brühe verrühren. Geschälte Shrimps in Salzwasser gar kochen und abtropfen lassen, klein schneiden. Die Eierbrühe in vier Schälchen (etwa so groß wie Kaffeetassen, also 150—200 ccm) gießen. Wasser im Dampftopf erhitzen. Wenn es dampft, die Eierschälchen in den Topf stellen und mit einem Geschirrtuch oben zudecken. (Schwache bis mittlere Hitze.) Wenn die Eieroberfläche anfängt fest zu werden, Shrimps und Bergpfefferblätter darauflegen. Bei mittlerer Hitze noch mal 5 Minuten kochen.

moyashi to tamago itame

(Sojabohnensprößlinge mit Ei)

200 g Sojabohnensprößlinge
1 Bund Schnittlauch
2 Eier

Schnittlauch in 3—4 cm Länge schneiden. 3 EL Öl in die Pfanne geben, Schnittlauch darin andünsten, geschlagene Eier hineingießen, mischen, 1 Msp Salz einstreuen. Wenn die Eier gar sind, diese aus der Pfanne nehmen. In der gleichen Pfanne bei starker Hitze die Sojabohnensprößlinge braten. Das Ei wieder dazugeben und alles mischen. ½ TL Salz und Pfeffer zugeben. Paßt zu Fisch- oder Fleischgerichten. Anstatt Sojabohnensprößlingen können Sie *shiitake,* Bambussprossen oder Spinat, jeweils in feine Streifen geschnitten, verwenden.

agetamago no mizoreni

(Gebackenes Ei nach Frühlingsart)

4 Eier
1 Tasse geraspelter Rettich
½ Bund Schnittlauch
2 Tassen Grundbrühe (S. 26)
Öl
Sojasauce
mirin
Salz

Jedes Ei einzeln in eine kleine Schüssel schlagen und in Öl von 180 °C gleiten lassen, dabei das Eigelb nicht zerstören. Die Eier einzeln backen. Wenn sie goldgelb werden, aus dem Öl nehmen und das Öl abtropfen lassen. Überflüssiges Wasser von den Rettichen wegschütten. Schnittlauch in 4—5 cm Länge schneiden. Grundbrühe, 2½ EL Sojasauce, 2 TL *mirin,* ⅔ TL Salz vermischen, einmal aufkochen. Danach vom Feuer nehmen. In die Brühe Eier, Rettich und Schnittlauch geben und erneut erhitzen. Nach dem Aufkochen gleich vom Herd nehmen. Beim Servieren das Ei zuerst auf den Teller geben, darauf die Rettichbrühe gießen und mit Schnittlauch bestreuen.

Eiergelee

(Foto gegenüber S. 65)

2 große getrocknete
tongku-*Pilze (oder*
shiitake-*Pilze)*
1 TL Sesamöl
¼ l Hühnerbrühe
4 EL Sojasauce
2 EL süßer Sherry
4 frische Eier
Pfeffer
4 EL Perlerbsen
150 g ausgelöste rohe Garnelenschwänze
4 Spinatblätter

Die getrockneten Pilzhüte mit kochendem Wasser überbrühen und 1 Stunde einweichen. Dann die Stiele entfernen, die Hüte vierteln. Mit 2 EL Einweichwasser bedeckt köcheln, bis das Wasser verdampft ist. Mit dem Sesamöl und einigen Tropfen Sojasauce beträufeln, ziehen lassen. Inzwischen die Hühnerbrühe, die restliche Sojasauce, den Sherry und die Eier verquirlen und durch ein feines Sieb passieren. In 6 Souffléförmchen oder japanische Teeschälchen gießen. Die Pilze, die Erbsen und die mit Pfeffer gewürzten Garnelenschwänze sowie die in Streifen geschnittenen Spinatblätter darin verteilen. Die Förmchen mit Klarsichtfolie verschließen. Auf einen Rost in einen Topf stellen, der mit soviel heißem Wasser gefüllt ist, daß die Schälchen zu zwei Dritteln davon umgeben sind. Das Eiergelee in 20 Minuten gar ziehen lassen.

Gemüsegerichte

Wir Japaner sind sehr mit der Natur verbunden. Selbst in einer Riesenstadt wie Tokio oder Osaka finden Sie oft kleine Gärten auf Balkonen, auf den Dächern der Hochhäuser und in Innenhöfen.
Außer den Gemüsesorten, die Ihnen in Europa bekannt sind, möchte ich Ihnen hier einige Pflanzen aufzählen, die wir als Saisongemüse verwenden:

März, April: Löwenzahn, Feldkresse, Bachkresse, Reisfeldkresse, Adlerfarn, verschiedene Laucharten, Schlangenlauch, Huflattich, Bambussprossen, Wiesenkresse, Traubenfarn, jung gezupfte Rettichsprossen, japanischer Spargel (*udo*), Bergpfefferblätter, Ackerschachtelhalm, Raps.

Mai, Juni: Perlzwiebeln (ein wenig anders als die europäischen), Saubohne, Perilla, Arten von Knöterich.

Juli, August: Schwarzwurzel (anders als in Europa), weiße Gurke, Blätterpeperoni, Perillafrüchte, eßbare Chrysanthemenblätter, kleine Auberginen, *okura*.

September, Oktober: Süßkartoffeln, Bergkartoffeln, verschiedene japanische Pilze (andere Arten als in Europa), Chrysanthemenblumen.

November, Februar: Verschiedene Zitronen- und Orangensorten, trockene Gemüse (Rettich, Farnarten, Süßkartoffeln etc.), Seekräuter (*nori, wakame, hijiki, konbu* etc., *touhu, konnyaku*).

Am 7. Januar feiert man den Beginn des Frühlings (nach dem alten Kalender) mit einem Reisbrei, der mit sieben Kräutern des Frühjahrs gekocht wird. Das sind Hirtentäschel, Vogelmiere, Rüben- und Rettichsprößlinge, Kressearten etc.
Saisongemüse werden nur ganz leicht gekocht, damit die frische Farbe und das gute Aroma nicht verlorengehen.

takenoko to wakame no nitsuke

(Bambus und wakame*)*

400 g Bambus aus der Dose
5 g wakame
1 Rapsblümchen
400 ccm Grundbrühe (S. 26)
wasab *(grüner Meerrettich*
mirin
Soja
sake
Salz

Grundbrühe, 2 EL *mirin,* 3 EL Soja und 3 EL *sake* aufkochen, den ringförmig geschnittenen Bambus zugeben, Hitze reduzieren. *wakame* in kaltem Wasser einweichen. Rapsblümchen in schwach gesalzenem Wasser kurz kochen und abtropfen lassen. *wakame* abfasern, in die passende Größe schneiden, zum Bambus geben und einige Minuten kochen. Bambus und *wakame* in einem Schüsselchen anhäufen und mit Rapsblümchen garnieren.

nasu no tougarashini

(Auberginen mit Peperoni)

8 mittelgroße Auberginen
⅔ Tasse Grundbrühe (S. 26)
3 EL Sojasauce
3 EL Zucker
2 EL mirin
2 EL Öl
1 Peperoni

Auberginenkelche abschneiden und die Früchte jeweils von der oberen Mitte diagonal nach unten tief einschneiden. Die Früchte bleiben praktisch ganz. Öl erhitzen, die gut abgetrockneten Auberginen vorbraten. Grundbrühe, Sojasauce, Zucker und *mirin* dazugeben. Peperoni in 5—6 Stücke zerschneiden, auf die Auberginen streuen, mit kleinem Deckel zudecken. Bis zum Sieden auf starkem Feuer kochen. Nach dem Sieden auf kleiner Flamme kochen, bis die Brühe fast völlig verdampft ist.

tataki gobou

(Schwarzwurzel)

6 Stangen japanische Schwarzwurzel (entspricht etwa 8—10 europäischen Stangen)
600 ccm Grundbrühe (S. 26)

Sauce:
3 EL weißer Sesam
3 EL Essig
1⅓ EL Zucker
3 TL Sojasauce

Schwarzwurzel waschen, schälen, in 4 cm Länge schneiden, in Wasser legen, dazu ein paar Tropfen Essig geben und 3—4 Minuten kochen. Schwarzwurzel herausnehmen und abtropfen lassen. Mit der Grundbrühe Schwarzwurzel erneut 2—3 Minuten kochen, im Sieb abtropfen lassen. Sesam leicht rösten und zermahlen. Mit Zucker, Essig und Sojasauce vermischen. Schwarzwurzel noch einmal in die Grundbrühe, dann in die Sauce tauchen und mit dem Messerrücken leicht klopfen. Fertig.

sandomame gomamisoae

(Bohnen mit miso-*Sauce)*

300 g grüne Bohnen
Grundbrühe (S. 26)
Salz

Sesam-*miso*-Sauce:
4 EL weißer Sesam
250—300 g akamiso
3 EL Zucker
1 EL Sojasauce
4 EL Grundbrühe

Bohnen in leicht gesalzenem Wasser weich kochen, in kaltes Wasser legen, abtropfen lassen, in 4 cm Länge schneiden und in die Grundbrühe tauchen. Sesam leicht rösten, mahlen, dazu *miso,* Zucker und Sojasauce geben, gut mischen. Bohnen in der Sauce servieren.

hourensou no gomaae

(Spinat mit Sesamsauce)

300 g frischer Spinat

Sauce:
4 EL weißer gemahlener Sesam
2 EL mirin
600 ccm Grundbrühe (S. 26)
2 EL usukuijyouyu *oder Sojasauce*

Spinat gut waschen, in leicht gesalzenes siedendes Wasser geben. Nach 1 Minute herausholen, abtropfen lassen, in ca. 4—5 cm Länge schneiden, abkühlen lassen. Saucenzutaten mischen, Spinat mit der Sauce vermischen und im Schüsselchen servieren.

hourensou no ohitashi

(Spinat mit Sojasauce und Bonito)

300 g Spinat
10 g feine Streifen oder Späne von Bonito
ein wenig kalte klare Suppe

Spinat gut waschen, in siedendem Wasser einige Male wenden (oder kurz kochen), gut abtropfen lassen, in 4—5 cm Länge schneiden, im Kühlschrank abkühlen. Den Spinat in eine Schüssel geben, darauf Bonitostreifen (Späne) streuen und 1 Schuß Sojasauce darüberträufeln.

kyabetsu no amazuni

(Weißkraut süß-sauer)

300 g Kraut
1 Peperoni
4 EL Zucker
4 EL Essig
1 TL Salz
Sesamöl
Pflanzenöl

Krautblätter mit kaltem Wasser waschen, in kleine Stücke schneiden. Peperonikerne entfernen und die Peperoni in 5 mm breite Ringe schneiden. 2 EL Öl (Sesamöl und normales Pflanzenöl mischen) erhitzen. Das Kraut auf starker Flamme garen, Peperoni, Zucker, Essig, Salz beigeben, zudecken, ein paar Minuten bei Mittelhitze kochen. Paßt zu Fleischgerichten.

tsukushi no gomaae

(Ackerschachtelhalm mit Sesam-Essig)

150 g Ackerschachtelhalm
3 EL weißer Sesam
2 EL Grundbrühe (S. 26)
2 EL Zucker
3 EL Essig
1 EL Sojasauce
Petersilie

Vom Ackerschachtelhalm die harte Außenhaut entfernen, in leichtem Salzwasser kurz kochen, dann 2—3 Stunden in kaltes Wasser legen. Sesam gut rösten, mahlen, mit Zucker, Essig, Grundbrühe und Soja mischen. Ackerschachtelhalm abtropfen lassen und mit der Sesamsauce mischen. In einer Schüssel anhäufen und mit Petersilie garnieren.

shiitake to negi no itamemono

(shiitake *mit Lauch)*

20 Stück shiitake *(Chinapilze)*
2—3 Stangen Lauch
1 TL Sojasauce
2 TL sake
⅓ TL Salz
Sesamöl

shiitake einweichen, Pilzfüße abschneiden, abtropfen lassen. Lauch in 5 cm lange Zylinder schneiden. Öl erhitzen, Lauch und *shiitake* darin garen. Sojasauce, *sake* und Salz hinzugeben. Die Aromen von *shiitake* und Lauch passen gut zueinander. Als Reduktionskost geeignet.

Gebratene Austernpilze

(Foto gegenüber S. 128)

250 g Rinderfilet
2 EL Öl
2 EL Butter
Salz
schwarzer Pfeffer aus der Mühle
1 Zwiebel
1 Knoblauchzehe
1 Möhre (ca. 70 g)
1 kleine Aubergine (ca. 150 g)
500 g Austernpilze
4 EL Sojasauce
2 EL Sesamöl
2 EL Sesamkerne
2 Frühlingszwiebeln

Das Rinderfilet in dünne Scheiben, dann in schmale Streifen schneiden. Das Öl und die Butter in einer breiten Pfanne erhitzen. Das Fleisch darin portionsweise kräftig anbraten, salzen, pfeffern, herausnehmen und warm stellen. Die Zwiebel schälen, fein hacken und im verbliebenen Bratfett andünsten. Den Knoblauch schälen, durch die Presse drücken und dazugeben. Die Möhre schälen, fein würfeln und in die Pfanne geben. Die Aubergine waschen, vom Stengelansatz befreien, fein würfeln, hinzufügen und unter Rühren 8 Minuten dünsten. Die Austernpilze von Wachstumsresten wie Stroh säubern, den Strunk abschneiden und die Pilze in schmale Streifen schneiden, untermischen und alles 1 Minute bei kräftiger Hitze braten. Die Pilze mit Salz, Pfeffer, Sojasauce und Sesamöl würzen. Das Fleisch untermischen und erhitzen. Die Frühlingszwiebeln putzen, waschen und in schmale Ringe schneiden, kurz vor dem Servieren einstreuen.
Als Beilage Reis servieren.

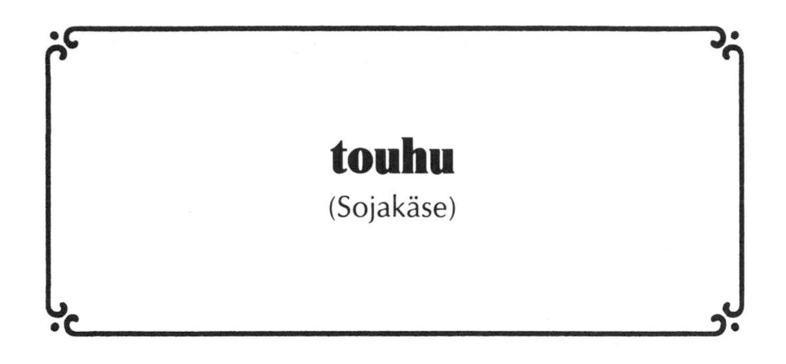

touhu

(Sojakäse)

Besuchen Sie einmal ein Spezialitätengeschäft und lassen Sie sich *touhu* geben. Wir haben verschiedene Nahrungsmittel aus Sojabohnen: *touhu, nattou* (gegorene Bohnen), *kinako* (Sojabohnenpulver), *okara* (Überreste von der *touhu*-Herstellung), etc. *touhu* ist jedoch das absolut interessanteste dieser Lebensmittel für die japanische Küche, obwohl es auf den ersten Blick einfallslos aussehen mag.
Sojabohnen nannte man früher »Fleisch vom Feld«, denn sie waren die wichtigste Proteinquelle der Japaner. Sie sind extrem fettarm, enthalten Vitamin B_1 und E und Spurenelemente und sind bekannt als gesundes Nahrungsmittel für Kinder und Kranke.
touhu wurde vermutlich im 8. oder 9. Jahrhundert in seiner ursprünglichen Form aus China importiert, aber man entwickelte mit japanischem Wasser ein eigenes Verfahren, den sogenannten *kinugoshi no touhu.*
touhu wurde zunächst von den Priestern im Tempel gegessen. Hofleute entdeckten den Genuß sofort, und das Volk entwickelte verschiedene Gerichte.
Im 18. Jahrhundert wurden 2 Kochbücher über *touhu*

geschrieben, die unendlich viele *touhu*-Gerichte enthielten, die von den Bürgern wiederum weiterentwikkelt wurden. Repräsentative *touhu*-Gerichte sind im Sommer *hiyayakko* und im Winter *yudouhu.*

touhu to koebi itame

(touhu *und Shrimps)*

2 Stück touhu	*2 EL Öl*
50 g Shrimps	*2 TL Zucker*
½ Stange Lauch	*2 EL Sojasauce*
einige Scheiben dünn geschnittener Ingwer	*1 TL Stärkemehl*
	2 EL Grundbrühe (S. 26)

touhu in Würfel von 1 cm Kantenlänge schneiden. Shrimps klein schneiden. Lauch hacken. Das Öl erhitzen, Lauch und Ingwer darin braten. *touhu* und Shrimps zugeben, Grundbrühe, Zucker und Sojasauce beimischen, zudecken, 5 Minuten kochen lassen, Stärkemehl mit der gleichen Menge Wasser vermischen und dazugeben. Vom Feuer nehmen.

hiyayakko

(Gekühlter touhu *mit frischen Gewürzen)*

Ein Stück *touhu* ist die Portion für eine Person. *touhu* in den Kühlschrank oder in kaltes, klares Quellwasser geben und gut kühlen. Einen *touhu* in 4 oder 8 Stücke würfelförmig schneiden (er kann aber auch als Ganzes serviert werden). Sojasauce in einem ganz kleinen Teller mit etwa 1 TL gehacktem Lauch oder Schnittlauch vermischen, geraspelten Ingwer und feine Bonitostreifen oder Späne dazugeben. Die Gewürze kann man variieren. Zum Essen wird der *touhu* kurz in die Gewürzsauce getaucht. Dazu passen frische Gemüsegerichte und eine klare Suppe. *sake* schmeckt dazu besonders gut.

hijiki no shiraae

(Seetang mit touhu*)*

50 g eingeweichter hijiki *(Seetang)*
½ Stück aburaage
⅓ touhu
2 EL weißer Sesam
Zucker
Salz
Sojasauce
Grundbrühe (S. 26)

aburaage in dünne Streifen schneiden, mit heißem Wasser begießen und damit das Öl entfernen. 100 ccm Grundbrühe, 2 EL Zucker und 1 EL Sojasauce mischen, darin *hijiki* gar kochen. Sesam rösten und mahlen. *touhu* in ein trockenes Tuch wickeln, leicht drücken, um Wasser abzusaugen. *touhu,* Sesam, 1 TL Zucker, ⅓ TL Salz und ½ TL Sojasauce mischen, dazu *hijiki* geben und umrühren. Statt *aburaage* können Sie Karotten, Schwarzwurzeln oder *shiitake* benutzen. Gut als Vorspeise.

iridouhu

(touhu, *leicht gebraten*)

1 Stück touhu
6 shiitake
½ Karotte
150 g Bambussprossen aus der Dose
2 Eier
Erbsen
3 EL Grundbrühe (S. 26)
4 EL Zucker
2 EL usukuchijyouyu
2 EL mirin
1 Msp Salz
Öl

touhu in ein trockenes Tuch wickeln, darauf ein leichtes Gewicht legen und entwässern. *shiitake* einweichen, Füßchen abschneiden und Pilzschirme jeweils in 4—5 Stücke zerteilen. Karotten schälen, klein schneiden. Erbsen in Salzwasser weich kochen, abtropfen lassen. Bambus in große Streifen schneiden, mit Salz vorkochen, abtropfen lassen. Bambus, Karotten, *shiitake* mit Zucker, Sojasauce, *mirin* und 3 EL Grundbrühe kochen, bis die Brühe fast völlig verdampft ist. *touhu* zerbröckeln, mit den Eiern in der leicht eingeölten Pfanne braten, dabei mit einem Bambuslöffel gut vermischen. Nicht anbrennen lassen! 1 Msp Salz zugeben, Erbsen und gekochtes Gemüse vermischen. Als Vorspeise, Begleitung zum *sake* oder zu Fischgerichten.

yudouhu (yodofu)

*(*touhu-*Topf)*

(Foto gegenüber S. 96)

4 Stücke touhu
1 großes Blatt dashi-konbu *(Suppenseekraut)*

Gewürze pro Person:
1 TL feingeschnittener frischer Lauch (oder Schnittlauch)
½ TL geraspelter Ingwer
¼ Blatt geröstetes und in feine Streifen geschnittenes nori
½ TL in feine Streifen geschnittene Zitronenschale
Sojasauce

Für die Variation *»chirinabe«* besorgt man zusätzlich ca. 400—500 g Schellfisch oder Kabeljaufilet.
Dieses angenehm warme Gericht eignet sich besonders für Zusammenkünfte an kalten Wintertagen.
In einer großen Ton-Kasserolle ca. 1—1½ l Wasser mit einem großen *dashi-konbu*-Blatt zum Kochen bringen. (*dashi-konbu* vor dem Gebrauch mit einem feuchten Tuch putzen). Das *dashi-konbu*-Blatt gleich danach herausnehmen.
Würfelförmig geschnittene *touhu*-Stücke (ca. 2×2×2 cm groß) in die kochende Brühe geben und 2—3 Minuten köcheln lassen, aber nicht zu lang, da *touhu* sonst den frischen Geschmack verliert. Gekochte *touhu*-Stücke herausnehmen, in die mit den Gewürzen gemischte Sojasauce eintunken und essen. Die Sojasauce sollte bereits in einem kleinen Schälchen serviert sein. Warmer *sake* paßt ausgezeichnet dazu.
Bei der *chirinabe*-Variation gibt man den in mundgerechte Stücke geschnittenen Fisch ins kochende Wasser, nachdem das *konbu* herausgenommen wurde.

uji agedashitouhu

*(*touhu *gebacken nach* uji-*Art)*

3 Stücke touhu	*Rettich, geraspelt*
1 Ei	*Stärkemehl*
1 TL grüner Tee (Pulver)	*Öl*
⅔ Tasse Grundbrühe (S. 26)	*Sojasauce*

touhu auf das Kochbrett legen, darauf eine mit Wasser gefüllte Schüssel geben, um ihn zu entwässern. *touhu* in je 4 Stücke schneiden. Ei verrühren. ½ Tasse Stärkemehl mit 1 TL grünem Tee (Pulver) vermischen. *touhu* in dieser Mischung wenden, dann in Ei tauchen und noch einmal in der gleichen Mischung wenden. Den *touhu* in Öl (170°C) kurz backen. Geraspelten Rettich und Sojasauce (Menge beliebig) mischen. 1 EL Rettichmischung auf den gebackenen *touhu* geben. ⅔ Tasse Grundbrühe und 6 EL Sojasauce mischen und auf den gebackenen *touhu* gießen.
touhu haben Sie schon bei *sukiyaki* erlebt. Sie können ihn praktisch für alles verwenden. Mit etwas Fantasie können Sie auch Ihre eigenen *touhu*-Gerichte entwikkeln. Viel Spaß mit *touhu!*

yudouhu

(Warmer touhu-*Topf)*

Für 1 Person 1—2 touhu, *je nach Appetit*
ca. 5 cm dashikonbu *(Suppen-Seekraut)*
Sojasauce
1 TL gehackter Lauch
Ingwer und verschiedene Gewürze, nach Möglichkeit nori
Zitronen

In einem zu ⅔ mit Wasser gefüllten Kochtopf *konbu* kochen. Wenn das Wasser siedet, den *konbu* herausnehmen und *touhu* zugeben. Wenn der *touhu* heiß wird, ist es Zeit zu essen. Nicht zu lange kochen. In die Sojasauce gehackten Lauch, geraspelten Ingwer und andere Gewürze geben, darin *touhu* vor dem Essen eintauchen. Man kann auch quadratisch geschnittenen Kabeljau, Dorsch oder Schellfisch mitkochen. Ein warmes Gericht im kalten Winter.

Fertige Reisgerichte

sushi ist das schönste Reisgericht, aber unser Reisrepertoire ist unendlich. Nun möchte ich als Beispiel für leichte und abwechslungsreiche Mittagessen einige fertige Reisgerichte aufzählen.

endougohan

(Erbsenreis)

4 Tassen Reis	*Salz*
¾ Tasse Erbsen	sake

Reis waschen und im Sieb abtropfen lassen. Erbsen waschen. In den Reiskochtopf Reis und die gleiche Menge Wasser geben, dazu 1 Msp Salz, *sake* und Erbsen. Kochen Sie wie bei *»mizudaki«* (S. 31) beschrieben. Dazu empfiehlt sich eine klare Suppe mit Champignons und ein Gemüse- oder Hühnergericht.

kurigohan

(Maronenreis)

4 Tassen Reis
20 schöne große Maronen
1 TL Salz

Reis waschen, im Sieb abtropfen lassen. Maronen schälen und in kleine Würfel schneiden, mit kaltem Wasser waschen. Wie *»mizudaki«* (S. 31) kochen. Dazu paßt eine *miso*-Suppe, ein *touhu*- oder *aburaage*-Gericht.

takenokogohan

(Bambusreis)

4 Tassen Reis
300 g Bambus aus der Dose
50 g Hühnerfleisch
4½ Tassen Grundbrühe (S. 26)
2 EL mirin
2 EL usukuchijyouyu
2 EL sake
2 TL Salz
1 Schuß klare Suppe

Bambus in Zylinder von 3 × 3 × 4 cm schneiden, in die klare Suppe geben. Hühnerfleisch in kleine Würfel schneiden, mit Salz bestreuen und in kaltem Wasser waschen. Grundbrühe, Salz, Sojasauce und *sake* mischen. Gewaschenen Reis in die Brühe geben, Hühnerfleisch und Bambus zufügen. Wie bei *»mizudaki«* (S. 31) verfahren. Wenn der Reis gekocht ist, mit feingehackter Petersilie garnieren. Dazu passen Champignons, eine klare Suppe oder ein Gemüsegericht.

kanimeshi

(Krebsreis)

4 Tassen Reis
250 g Krebsfleisch aus der Dose
4 Eier
1 knapper Liter Grundbrühe (S. 26)
2 TL Salz
2 EL sake
Kresse
Petersilie

Krebse aus der Dose mit den Händen zerpflücken und die kleinen Schalen entfernen. Eier verrühren, mit $\frac{1}{5}$ der Grundbrühe und Salz vermischen, dünn braten, in feine Streifen schneiden. Grundbrühe, *sake,* 2 TL Salz vermischen. Diese Mischung sowie den Reis in den Kochtopf geben, aufkochen und dämpfen (wie bei *»mizudaki«* beschrieben, S. 31), den Krebs und 2 TL gehackte Petersilie dazugeben. Krebsreis auf einem Teller anhäufen, mit ein wenig Kresse bestreuen. Dazu passen *touhu*-Gerichte, Suppe und ein paar Gemüsegerichte.

wakamegohan

(Seekrautreis)

3 Tassen Reis
10 g wakame *(Seekraut)*
1 aburaage
3½ Tassen Wasser
1 EL usukuchijyouyu *(oder normale Sojasauce)*
2 EL sake
1 TL Zucker
¼ TL Salz

1 Stunde vor dem Kochen den Reis waschen und abtropfen lassen. *wakame* im Wasser einweichen, abtropfen lassen, in ca. 1 cm lange Stücke schneiden. *aburaage* mit heißem Wasser begießen, in feine Streifen schneiden. In einen Kochtopf Reis, Wasser, *sake,* Sojasauce, Zucker und Salz geben. *wakame* und *aburaage* beimischen und kochen wie bei *»mizudaki«* (S. 31). In einem größeren Reisschälchen (*donburi*) servieren. Dazu würde z.B. eine klare Suppe mit *shiitake* oder Champignons gut passen.

nori chazuke

(Reissuppe mit nori*)*

4 große Schalen oder
ca. 400 g gekochten Reis
2 nori-*Blätter*
1 TL gehackter Sesam
1 TL grüne Meerrettich-
paste, ersatzweise
2 Stengel Petersilie
(besser wäre eine Kresse-
art)

6 Tassen Grundbrühe
(S. 26) mit ½ TL Salz und
1 Schuß Sojasauce
Bergpfefferpulver
(sanshou)

Frischgekochten Reis in die Schüssel (*donburi*) geben, darauf leicht geröstete feine *nori*-Streifen streuen, Brühe zugeben. Sesam mit Bergpfeffer auf den Reis streuen und mit etwas Kresse akzentuieren.
Statt *nori* mit *umeboshi* (Salzpflaumen), *ikura* (Lachsrogen), *tarako* (Dorschrogen) oder *sake* (Salzlachs) variieren.

haruyasai no takikomigohan

(Gekochter Reis mit Frühlingsgemüse)

3 Tassen Reis
3 Tassen Grundbrühe (S. 26)
80 g Bambus aus der Dose
wenn vorhanden 80 g frische Huflattichstangen
50 g eingeweichten shiitake
2 aburaage
wenn vorhanden 50 g eingeweichten Adlerfarn
Öl
Salz
Sojasauce
Zucker
sake

aburaage in siedendem Wasser waschen, in feine Streifen schneiden. Huflattich in 2 cm lange Stücke schneiden. In den Kochtopf Grundbrühe, 1½ EL Zucker, 1 TL Salz, 1 EL *usukuchijyouyu* geben und die Gemüse weich kochen. Gemüse aus der Brühe schöpfen. In die Brühe den Reis geben und dazu 3 EL *sake,* eine ½ Tasse Grundbrühe hinzufügen, zudecken und zum Kochen bringen. 30 Sekunden nach dem Aufkochen Gemüse hineingeben, Feuer schwach stellen. 15 Minuten kochen lassen, noch einmal stark erhitzen, danach 15 Minuten dämpfen lassen. Dazu paßt Huhn, ein kleines *touhu*-Gericht, die Suppe nicht zu vergessen.

kayakugohan

(Reis mit Hühnerfleisch)

4 Tassen Reis
80 g Schwarzwurzel
4 shiitake
2 aburaage
60 g Karotten
100 g Hühnerfleisch
½ Ingwerknolle, gehackt
1 Stengel Petersilie
4 EL Sojasauce
4 EL sake
2 TL Zucker

Reis mindestens 1 Stunde vor dem Kochen waschen, abtropfen lassen. Schwarzwurzel schälen, in dünne, kleine Späne schneiden und in kaltes Wasser geben. *shiitake* einweichen und in Streifen schneiden. *aburaage* mit siedendem Wasser waschen, in Streifen schneiden. Karotten schälen, in die passende Größe schneiden. Hühnerfleisch in kleine Stücke schneiden und mit Ingwer, *sake,* Sojasauce und Zucker kochen. Wenn es gar ist, alles aus der Sauce nehmen. In den Kochtopf Reis, Fleisch, Gemüse, die Sauce, in der das Fleisch gekocht wurde, sowie 2 Tassen Grundbrühe geben. Kochen wie bei *»mizudaki«* (S. 31). Fertigen Reis in einer Schüssel servieren und mit Petersilie garnieren.

Nudeln

Wußten Sie, daß die Japaner gerne Nudeln essen? Wir tun das seit 1000 Jahren. Wenn Sie schon in Japan gewesen sind, haben Sie bestimmt die vielen kleinen Nudelrestaurants gesehen, in denen ausschließlich verschiedene Nudelgerichte angeboten werden. Wenn Sie in einem solchen Lokal gegessen haben, dann kennen Sie auch das typische Schlürfen vom Nachbartisch. Beim Nudelessen dürfen Sie in Japan kräftig schlürfen, aber nicht zurückhaltend, sonst könnte es unappetitlich klingen. Also: entweder wirklich kräftig schlürfen oder still und leise essen. Schlürfen muß man können! Denken Sie an Weinkenner.
In Japan gibt es außer den neueingebürgerten Nudeln wie Spaghetti, Bandnudeln, Makkaroni u.a. zwei Nudelsorten: *soba* und *udon.*

soba

Deutsche Übersetzung: »Buchweizen«. Diese Pflanzen wachsen in Sibirien, der Mandschurei, Korea, im indischen Hochland; neuerdings werden sie auch in anderen Ländern gezüchtet. Nach Japan soll *soba* im 8. Jh. gekommen sein. Am Anfang wurden die Früchte gemischt mit Reis und Weizen gegessen, im 17. Jh. führte ein koreanischer Priester die Methode ein, gemahlene *soba* mit Weizenmehl zu mischen. Später hat man gemerkt, daß man aus dieser Mischung (*soba* und Weizen) auch Nudeln herstellen kann. Diese Nudeln wurden sehr populär. *soba* sehen nach der Farbe der Pflanze grau aus. Sie finden diese Nudeln in getrockneter Form in hiesigen Spezialitätenläden.

tsukimiudon (-soba)

(»Vollmond«-Nudeln)

Ein rohes Ei in die heiße Nudelsuppe schlagen und mit feingeschnittenem frischem Lauch garnieren. Die Suppe soll so heiß sein, daß das Ei angekocht wird.

kitsuneudon (-soba)

(Nudeln mit aburaage*)*

Für eine Person 2 *aburaage* aus der Dose wärmen und auf die Nudelsuppe legen. Mit in feine Ringe geschnittenem frischem Lauch garnieren. Zitronenschalenstreifen geben auch hier Aroma.

udon

Der Name stammt aus der *edo*-Zeit (17.—19. Jh.). Dokumentiert ist allerdings, daß im 8. und 9. Jh. aus China Kuchen aus Weizenmehl nach Japan kam. Später kam man darauf, aus Weizenmehl Nudeln herzustellen. Diese Nudeln bestehen aus reinem Weizenmehl, wenig Salz und Wasser.
Breite Bandnudeln heißen *himokawa, kishimen.* Sehr feine Streifen werden *soumen, hiyamugi* genannt.
udon und *soba* können Sie in Deutschland in getrockneter Form kaufen. Sie können sie wie Spaghetti kochen, aber nicht zu weich! *udon* und *soba* können entweder mit kalter oder warmer Sauce (Suppe) gegessen werden. Japaner mögen sie im Sommer mit gekühlter Sauce und frischgehackten oder geraspelten Kräutern bzw. Gewürzen (z.B. Lauch, Rettich, Ingwer und grüner Meerrettich), im Winter mit warmer Suppe. Wenn Sie sie kalt essen, lassen Sie die Nudeln gut abtropfen und kühlen Sie sie in kaltem Wasser, danach erneut abtropfen lassen und in einem Bambuskorb servieren. Dazu gekühlte Sauce in einem kleinen Schälchen und Gewürze (*yakumi*) in separaten Tellerchen reichen. *yakumi* ist sehr wichtig.

Für 1 Person:

1 TL Lauch, fein geschnitten
¼ TL geraspelter Ingwer
⅛ Blatt nori, *in feine Streifen geschnitten*
evtl. 1 TL geraspelter Rettich und ein wenig gerösteter Sesam

Die Nudelsauce können Sie selber kochen.

Für 4 Personen:

4 Tassen Grundbrühe (S. 26)
½ Tasse Sojasauce
⅓ Tasse mirin
1 TL Salz
2 TL Zucker
oder aber im Spezialitätenladen unter dem Namen menmi *oder* sobatsuyu *fertig kaufen*

Bei *soumen* und *hiyamugi* servieren Sie die Nudeln im kalten Wasser mit Eiswürfeln, ein paar Mandarinen aus der Dose, einem kleinen Stück Wassermelone und einem Petersilienstengel. Dazu paßt Paste aus grünem Meerrettich (ca. ¼ TL) als Gewürz gut. Ingwer und grünen Meerrettich können Sie abwechselnd, aber nicht zusammen benutzen.
Wenn Sie eine warme Nudelsuppe kochen möchten, wären folgende Rezepte leicht zu realisieren und abwechslungsreich. Geben Sie gesiebte, warme Nudeln in eine Schüssel, darauf die erhitzte, fertige Suppe gießen.

tamagotoji

(Mit Eiern zugedeckte Nudeln)

Für 5 Personen:

4 Eier
½ Stange Lauch
2 EL fertige Nudelsauce (menmi *oder* sobatsuyu)

Nudelsauce erhitzen, in feine Streifen geschnittenen Lauch beigeben. Wenn der Lauch weich wird, verrührte Eier zugeben. 2 Minuten kochen und auf die Nudelsuppe geben.

okameudon (-soba)

(Fischwurst-Nudeln)

kamaboko aus der Tiefkühltruhe auftauen, in halbe Ringe von 5 mm Stärke schneiden, kurz in siedendes Wasser tauchen. Diese auf die Nudelsuppe (weiße und rote abwechselnd) legen und mit Petersilie noch farbenfreudiger gestalten. Einige kleine Zitronenschalenstreifen können des Aromas wegen zugefügt werden.

nabeyaki udon

(Nudelsuppe mit Ei und Gemüse)

4 frische Champignons
4 Frühlingszwiebeln
100 g Hühnerfleisch
½ TL Glutamat
1 Tasse Sojasauce
4 TL mirin
1 TL Zucker
4 Portionspäckchen udon
(ersatzweise 150 g Spaghetti)
4 Eier
evtl. einige Schalotten
Paprika
Petersilie

Champignons putzen, Frühlingszwiebeln in ca. 3 cm lange Stücke schneiden, das Hühnerfleisch schräg zerschneiden, so daß es 3 Stücke pro Person werden. Gut 1 l Wasser zum Kochen bringen, Glutamat, Sojasauce, *mirin* und Zucker hinzufügen und die Nudeln (*udon*) darin ankochen. Die vorgekochten Nudeln auf vier feuerfeste Portionsschälchen verteilen und die Suppe darübergießen. Hühnerfleisch, Zwiebeln und Champignons in die Schalen geben, 1 Ei in jede schlagen, zu-

 Gebratene Austernpilze (Rezept Seite 110) ▷

decken und erhitzen. Wenn die Suppe aufkocht, Hitze abdrehen, 3 Minuten stehenlassen und heiß servieren. Dieses Gericht kann nach Geschmack gewürzt, mit gewürfelten Schalotten, Paprika und eventuell gehackter Petersilie bestreut werden.

shippokuudon

(udon *nach* shippoku-*Art)*

80 g Hühnerfleisch
4 shiitake
60 g Bambussprossen
½ Blatt nori
Petersilie
4 Scheiben kamaboko
(5 mm dick)

Hühnerfleisch mit Salz bestreuen, klein schneiden, *shiitake* und Bambus in die passende Größe schneiden. Bambus und *shiitake* in 1 Tasse fertiger Nudelsuppe kochen, Hühnerfleisch zugeben und garen. Nudelsuppe mit Hühnerfleisch, Bambus, *shiitake* und Petersilie dekorieren.
Statt Hühnerfleisch können Sie auch Entenfleisch verwenden. Dann heißt die Nudelsuppe *kamonanban.*
Anstelle dieser Nudelgerichte ist in der letzten Zeit »Instant«-*lamen* (entspricht ursprünglich chinesischen Nudeln) sehr populär geworden. Sie können »Instant«-*lamen* in Spezialitätenläden kaufen. Sie sind in wenigen Minuten fertiggekocht (3—5 Minuten nach Gebrauchsanweisung). Sie können sie auch mit *shiitake,* Bambus, Spinat und Lauch (jeweils leicht gekocht) abwechslungsreich variieren.

◁ *Hähnchen auf Sojakeimen* (Rezept Seite 98)

Dessert

Die traditionelle japanische Küche kennt keinen Nachtisch. Man pflegte nach dem Reis grünen Tee zu trinken. Kleine Mengen Süßigkeiten sind normalerweise vor dem Tee zu servieren. Neuerdings hat es sich jedoch eingebürgert, nach dem Essen etwas Süßes oder Obst zu essen. Käse als Nachtisch ist den Japanern völlig fremd. In traditionellen Süßspeisen werden weder Butter noch Milchprodukte verwendet. Sie bestehen hauptsächlich aus Reis, Reismehl, Mungobohnen, Zucker, Sojabohnenpulver, Sesam und anderen Pflanzen und Gewürzen der Jahreszeit. Um original japanische Kuchen zuzubereiten, fehlen uns hier die Zutaten. Wenn Sie aus Japan Besuch bekommen, lassen Sie sich *wagashi* (traditionelle Süßigkeiten) mitbringen, um zu erleben, wie diese schmecken. Sie können folgende Süßspeisen in Spezialitätenläden kaufen:

youkan	Dunkle, quadratische Süßspeise aus Mungobohnen und Zucker, die ab und zu Maronen enthält. Sie schneiden diese in 2—3 cm dicke Scheiben und bieten sie mit heißem, grünem Tee an. Auf einem Lack- oder Glastellerchen anrichten.
mitsumame	Eine Mischung aus würfelförmiger Gelatine, Mandarinen, mit Zucker gesüßt. Kühlen Sie die Dose im Kühlschrank. Als Nachtisch ½ Dose in eine Glasschüssel geben, dazu eine Kugel Speiseeis als eine mögliche Variation.
yudeazuki	Mit Zucker weichgekochte Mungobohnen. Im Kühlschrank kühlen. In einer kleinen Schüssel (evtl. mit Eis) servieren. Sehr süß.

Sie können auch Eis aus grünem Teepulver machen. Wir nennen dies *massha aisu. massha* ist das grüne Teepulver, das man zur Teezeremonie benutzt.

Fernöstlicher Fruchtsalat

Kühlen Sie Mandarinen aus der Dose gut. Eine Kiwi schälen und in Scheiben schneiden, ebenfalls kühlen, mit den Mandarinen mischen und in einem kleinen Glasschälchen servieren. Grapefruit paßt auch gut dazu.

matcha aisu

Für 5 Personen:

3 TL matcha
600 ccm Milch
1 EL Kakao
150 g Zucker
4 Eier
2 EL Maismehl

Kakao und Teepulver in einer kleinen Menge Wasser verrühren. In einem Topf Eier verschlagen, Zucker und Maismehl beimischen, dazu Kakao, Teepulver und Milch geben und kochen. Wenn es siedet, einige Male umrühren, vom Feuer nehmen und abkühlen. Die gekühlte Mischung in Förmchen gießen. 1—2 Stunden in das Gefrierfach stellen, herausnehmen, nochmals umrühren und wiederum in das Gefrierfach stellen. Dieses Verfahren zwei- bis dreimal wiederholen. Das Schüsselchen z. B. mit Papierschirmchen dekorieren.

Chrysanthemenblume aus frischen Mandarinen

Sie besorgen frische Mandarinen, die Sie quer halbieren. Der Schnitt sieht dann wie eine Chrysanthemenblume aus. Ein Stück auf einem Glastellerchen für jeden.

Wassermelone mit Eiswürfeln

Im Sommer kühlen Sie Wassermelone gut, schneiden sie in Würfel von 3—4 cm Kantenlänge und servieren sie mit Eiswürfeln in einer Glasschüssel.

Bananen-tenpura

Bananen schälen, mit Weizenmehl überstäuben. Im *tenpura*-Teig (S. 36) wenden, wie *tenpura* backen, abtropfen lassen. Mit Zucker bestreuen.

yokan

Diese Süßspeise können Sie im Japan-Laden fertig kaufen. *yokan* ist ein Kuchen aus Mungobohnen, den Sie in ca. 2—3 cm dicke Scheiben schneiden und zusammen mit grünem Tee servieren.

mitsumame

mitsumame ist eine Mischung aus Agar-Agar-Würfeln, Früchten und dreierlei gekochten Bohnen, die mit Zucker oder Honig gesüßt ist. Sie können sie fertig kaufen, und sollten Sie gekühlt als Nachtisch servieren. Eine Kugel Vanilleeis in der Mitte eines jeden Tellers rundet das Dessert ab.

omochi (mochi)

(Reiskuchen)

Wenn Sie in Spezialitätengeschäften *mochi* bekommen (im Winter, besonders Ende Dezember, muß es welchen geben, da dies zum Neujahrsfestmahl gehört), können Sie ihn in 4—5 cm große Quadrate schneiden. Eine elektrische Kochplatte mit Aluminiumfolie doppelt abdecken und darauf *mochi* erhitzen. Essen Sie ihn mit gezuckerter Sojasauce. Sie können ihn auch in gezuckertem Sojapulver wenden und essen (zuvor einmal in warmes Wasser tauchen), oder mit in Sojasauce getauchtem *nori* einwickeln und essen.

Japanisch servieren und japanisch essen

Um Ihnen japanische Tischsitten und Gebräuche zu erklären, möchte ich Sie am liebsten mit nach Japan einladen, um Ihnen dort alles vorführen zu können. An dieser Stelle muß ich mich jedoch auf die Vermittlung globaler Eindrücke beschränken.

Traditionell gibt es folgende Menüzusammenstellungen:

- eine Suppe, drei Gerichte und Reis
- eine Suppe, fünf Gerichte und Reis
- zwei Suppen, fünf Gerichte und Reis
- drei Suppen, sieben Gerichte und Reis
- drei Suppen, neun Gerichte und Reis

Je nach Anzahl der Suppen und Gerichte ändern sich Serviervorschriften, Tischmanieren und andere Regeln. Früher wurden diese Vorschriften pedantisch eingehalten, im heutigen Japan werden allenfalls noch die Grundregeln beachtet, die Tischsitten sind freier geworden. Nur noch in wenigen exklusiven Restau-

rants werden die alten Speise- und Serviervorschriften exakt eingehalten, Bequemlichkeit und angenehme Atmosphäre stehen heute im Vordergrund.
Eine Speisenfolge, wie sie heute noch in einem traditionellen Restaurant serviert wird, könnte folgendermaßen aussehen:

otoushi	zwei bis drei verschiedene Vorspeisen, passend zu *sake*
mukouzuke	Einleitung der Hauptgerichte, z.B. *sashimi*
wan	Suppe
kuchitori	»Mundgenuß«; zwei bis drei verschiedene Gerichte aus Meeresfrüchten und Gemüse
yakimono	gegrilltes oder gebratenes Fleisch- oder Fischgericht
nimono	gekochtes Gericht
kodon	Gerichte mit Essig oder Salate
tomewan	abschließende Suppe
gohan	Reis
kounomono	angemachtes Gemüse mit frischem Aroma

Es gibt auch in Japan nicht viele Hausfrauen, die eine solchermaßen komplette Bewirtung fertigbringen. Fassen Sie das vorstehende Menü also nicht als ein Kochziel auf, sondern als einen Beitrag zur japanischen Sittenkunde. Folgende Informationen möchte ich Ihnen nicht vorenthalten, damit Sie als Gastgeber oder Gastgeberin japanischer Küche sicher und ohne grobe Fehler auftreten können:

- Vor jedem Gast sollten parallel zur Tischkante die Eßstäbchen liegen, links dahinter steht das Reisschälchen, rechts dahinter das Suppenschälchen, zur Tischmitte hin befinden sich — für jeden Gast bequem erreichbar — die verschiedenen Gerichte.

- Der Reis sollte keinesfalls in einer großen Schüssel auf den Tisch kommen, er wird jeweils frisch aus dem Kochtopf oder aus einem eigens für diesen Zweck hergestellten Holzkästchen in die Schälchen gefüllt, am besten mit einem Bambuslöffel. Niemals Eßstäbchen senkrecht in den Reis stecken, dies ist nur vor dem Grabstein oder auf dem Altar üblich.

- Wenn bei einem Fischgericht der ganze Fisch serviert wird, sollte der Kopf links und der Bauch dem Gast zugewandt zu liegen kommen.

- Sie sollten die Teller und Schüsselchen nicht mit Speisen überfüllen. Ein leerer Raum auf dem Teller mag die Fantasie des Gastes ansprechen. Bei der Plazierung der Speisen ästhetische Gesichtspunkte berücksichtigen!

- Chinesisches Geschirr eignet sich ausgezeichnet für chinesische Gerichte. Wenn Sie aber japanisch kochen und kein japanisches Geschirr zur Verfügung haben, dann benutzen Sie am besten weißes oder einfarbiges Geschirr ohne Dekorationen und überladene Muster.

Wenn Sie die japanische Küche als Gast erleben, sollten Sie das Essen unbefangen genießen. Denken Sie nicht krampfhaft an Sitten und Gebräuche fremder

Menschen. Sie werden sowieso Ihre Mühe mit den Eßstäbchen haben. Trotzdem werden Ihnen folgende Informationen nützlich sein:

- In einem japanischen Eßzimmer sitzt der wichtigste Gast vor dem Rollbild (*kakejiku* in *tokonoma*).
- Spielen Sie vor dem Essen nicht mit den Eßstäbchen, es sei denn, der Gastgeber weiht Sie in die Kunst des Essens mit Stäbchen ein. Wenn Sie Einmalstäbchen (*waribashi*) bekommen, spalten Sie diese, reiben Sie nicht die Stäbchen aneinander.
- Beißen Sie nicht mit den Zähnen auf die Stäbchen.
- Wenn Sie einem Tischnachbarn einen Bissen reichen wollen, geben Sie den Happen nicht von Stäbchen zu Stäbchen weiter, sondern legen Sie diesen auf den Teller des Nachbarn. Das direkte Weiterreichen von Stäbchen zu Stäbchen ist nur bei Totenzeremonien üblich, wenn die Knochenreste des Verblichenen von den Angehörigen aus der Asche gesucht werden.
- Legen Sie nach dem Essen die Stäbchen dort wieder ab, wo sie anfangs plaziert waren, meist auf speziellen Stäbchenablagen.
- Wenn die Suppe in einem zugedeckten Holzschälchen serviert wird, halten Sie das Schälchen mit der linken und heben Sie den Deckel mit der rechten Hand ab. Legen Sie ihn neben das Schälchen.
- Heiße Suppen dürfen Sie schlürfen, aber bitte nicht so laut wie bei Nudelgerichten üblich. Schlürfen und Schmatzen gehören auch bei uns nicht — wie fälschlicherweise oft angenommen — zu guten Manieren. Denken Sie vielmehr an das genießende Schlürfen eines Weinkenners bei einer Weinprobe.

- Sollte der Gastgeber in besonders wertvollem Geschirr servieren, vergessen Sie nicht, dieses gebührend zu loben.
- Meist wird für Gräten und Knochen ein eigenes Schüsselchen serviert. Sollte ein solches nicht vorhanden sein, legen Sie diese ohne viel Aufhebens auf Ihren Tellerrand.

Tips für einen japanischen Abend

Vielleicht planen Sie einen japanischen Abend oder ein Sommerfest in Ihrem Garten mit fernöstlicher Atmosphäre? Sie werden den Abend nicht unbedingt traditionell, sondern in erster Linie angenehm gestalten wollen. Einige Lampions und Schallplatten mit exotischer Musik haben Sie sicher besorgen können.

Getränke

Im Sommer ist *sake on the Rocks* (wie Whisky) angenehm appetitanregend. Im Winter wird *sake* natürlich warm serviert.

Wie wärmt man sake?

Es gibt verschiedene Arten von *sake*-Servicen zu kaufen. Füllen Sie den *sake* in das *sake*-Fläschchen um, erwärmen Sie dieses im Wasserbad bis knapp unter 100 °C und bringen Sie es zu Tisch. Der *sake* darf keinesfalls gekocht werden.

Für die Damen können Sie im Sommer wie im Winter einen *sake*-Cocktail zubereiten. Das ist ganz einfach: in ein Cocktailglas gekühlten *sake* geben, dazu 1 TL Zitronensaft und 1 TL Zucker, dann mit einer Kirsche garnieren. *sake* können Sie auch mit Orangensaft 1 : 3 mischen. Weitere Ideen sind:

Green soda

In einem Glas ½ TL grünes Teepulver und ½ TL Wasser mischen, mit Limonade aufgießen.

Teepunsch

Schwarzen Tee, Orangensaft und Mineralwasser in jeweils gleicher Menge (1 : 1 : 1) mischen, dazu (wenn es 3 Tassen werden sollen) 5 TL Zucker, 3 Zitronenscheiben, Eiswürfel und 3 Kirschen.

Pflaumenlikör

Im Spezialitätengeschäft kaufen Sie eine Flasche Pflaumenlikör (*umeshu*). Für 1 Glas: 2 EL Pflaumenlikör, 2—3 Eiswürfel und Wasser. Die Verdünnung ist beliebig. Außerdem eignen sich Bier und Whisky, sie werden auch in Japan viel getrunken.

sukiyaki-, tenpura-, yakitori-, temakizushi- und shabushabu-Party

Diese bekannten Gerichte sind sehr gut für eine Party geeignet. Sie allein zu essen, macht viel weniger Spaß. Wegen der direkten Beteiligung Ihrer Gäste werden Sie beim *sukiyaki*-Kochen viel Freude haben. Wichtig ist, daß Sie genügend Zutaten besorgen und diese auf vielen großen Tellern ästhetisch anrichten. Lassen Sie Ihre Gäste mit verschlagenem Ei im Schälchen und Stäbchen in der Hand um den Tisch sitzen und mitkochen, natürlich auch mitessen. Für *tenpura* stehen Sie als Gastgeber oder Gastgeberin mit großer Schürze versehen vor den schön garnierten Zutaten und den Gästen. Wenn das Öl die richtige Temperatur erreicht hat, fangen Sie — wie ein erfahrener Koch — an, Gemüse und Fisch zu backen. Die Gäste stehen (sitzen) mit *tenpura*-Sauce und Eßstäbchen versehen vor Ihnen, neugierig und hungrig. Auf die Minute wird gebacken und alles frisch gegessen. Bei *yakitori* benutzen Sie ein Grillset mit Holzkohle. Einen Fächer an Stelle eines Blasebalgs nicht vergessen! Wenn Sie anfangen zu grillen, soll der feine Duft den ganzen Garten erfassen.
Wenn Sie zufällig einen japanischen Koch kennen, fragen Sie ihn, ob er Lust hat, für Sie *sashimi* oder *osushi* zuzubereiten. Das wäre eine Sensation! Oder probieren Sie *temakizushi!* Sonst wären folgende Gerichte noch zu empfehlen:

Schinken osushi

Für 2 Personen:

2 Tassen gekochter Reis
6 runde Scheiben Schinken oder Kaiserfleisch
100 g Mischgemüse (Mais, Bohnen, Paprika) aus der Tiefkühltruhe
¼ TL Salz
½ Zitrone
Pfeffer
einige Perlzwiebeln
1—2 Essiggurken

Gemüse kurz in kochendes Salzwasser tauchen, gleich absieben und kühlen. Zitronenschale reiben, Zitronensaft auspressen. In einer Schüssel Salz, Pfeffer, Zitronensaft und geriebene Zitronenschale mischen, dazu den Reis und das Gemüse geben und mischen. Von dieser Mischung 2 EL auf jede Schinkenscheibe geben. Beide Seiten des Schinkens hochschlagen und in der Mitte mit einem Zahnstocher zusammenstecken. Mit ein paar Perlzwiebeln und geschnittenen Essiggurken garnieren.

onigiri

(Reisklößchen)

Gekochten Reis mit den Händen zu Klößchen formen. Als Füllung können Sie Salzpflaumen, Bonitospäne mit Sojasauce, gegrillten Salzlachs, klein geschnitten, oder *konbu no tsukudani* (vom Spezialitätengeschäft) verwenden. Sie greifen mit beiden Händen locker Reis, legen ihn auf die linke Hand, die schon ein wenig mit Salz bestreut ist, und formen mit der rechten Hand den Reis. Runde oder dreieckige Formen sind üblich. Um das Klößchen können Sie geröstetes *nori,* in die passende Größe geschnitten, wickeln oder es mit geröstetem schwarzem Sesam bestreuen. Rechnen Sie 2 Stück pro Person. *onigiri* ist auch eine sehr beliebte Beigabe zum Lunchpaket in Japan. Ebenso sind *makizushi* (Reisrolle) und *inarizushi (sushi*-Reis in *aburaage*-Tasche) gut geeignet (S. 44).

Roter Kaviar auf Gurken, garniert mit käsegefüllten Gurken

Gurken in ca. 2 cm breite Ringe schneiden, nebeneinanderlegen, ca. 2 TL roten Kaviar daraufgeben. Als Farbkontrast daneben mit Käse gefüllte Gurken stellen. Käsegurken: Gurken entsprechend schneiden, ebenfalls in dicke Ringe, die oben etwas ausgehöhlt werden, und mit dicken Käsestreifen füllen. So entsteht eine Platte mit kräftigen, freundlichen Farben.

Fischwurstplatte

Außerdem können Sie *kamaboko* und *chikuwa* (die sog. Fischwürste) tiefgekühlt aus Spezialitätenläden besorgen, abtauen und in ½ cm längsovale Scheiben schneiden, mit Petersilie garnieren; grüne Meerrettichpaste am Tellerrand kegelförmig aufhäufen. Sojasauce in kleine Teller oder Schüsselchen gießen, neben die Teller stellen.
kamaboko können Sie auch in ca. 5 cm lange Streifen schneiden. Sehr feine Streifen von *kamaboko* lassen sich wie eine Getreidegarbe bündeln. Das sieht sehr lustig aus. Sie können sie auch wie eine Schleife binden. Als Garnitur eignen sich entsprechend geschnittene Zitronenscheiben.

Zwiebeln, fein geschnitten, in Lachsschinken gewickelt

Zwiebeln sehr fein schneiden und ca. 30 Minuten in kaltes Wasser tauchen, abtropfen lassen. Ca. 10 Zwiebelstreifen mit Lachsschinken (ca. 1 mm dünn geschnitten) umwickeln. Etwa 5—6 der Schinkenröllchen ergeben 1 Portion.

Seekraut mit Sesam-Dressing

200 g gekochter Schinken
50 g eingeweichtes wakame *(Seekraut)*
60 g Karotten
1 Gurke
2 Stangen Lauch

Sauce:
4 EL weißer Sesam, gemahlen
½ TL Knoblauch, fein geschnitten
1 EL shiromiso
3 EL Grundbrühe (S. 26)
1 TL Pflanzenöl
5 EL Essig
1 EL Sojasauce
1 Peperoni
1 TL Salz

Schinken in Streifen schneiden. *wakame* 2—3 cm lang schneiden, ein wenig mit Essig beträufeln. Gurke, Lauch und Karotten in feine Streifen schneiden (Länge ca. 4 cm), in kaltes Wasser tauchen und abtropfen lassen. Diese Zutaten auf einem großen Teller anrichten und mit dem Dressing übergießen.
Sie können auch die Gerichte, die in diesem Buch schon vorgestellt wurden, für Ihre Party verwenden.

Anstelle von Salzstangen empfiehlt es sich, in Spezialitätenläden *osenbe* oder *okaki* zu kaufen, die man hier Reisgebäck nennt. Es wird in verschiedenen Formen gebacken oder gegrillt und mit Sojasauce, *nori* oder Sesam abgeschmeckt. Reisgebäck können Sie als Snacks in Bambuskörbe geben. Dazu passen übrigens Nüsse sehr gut.
Als Abschluß eignet sich besonders Tee-Eis, mit bunten Papierschirmchen verziert. Nach dem Essen ist das Eis aus dem sehr anregenden grünen Tee bekömmlich. Wir Japaner sind an grünen Tee gewöhnt. Wir können gut schlafen, aber wenn Sie Bedenken haben, können Sie ihn in einer sehr schwachen Konzentration zubereiten. Eine Tasse Tee ist immer erfrischend.

Apfelsalat

Für 4—6 Personen:

4 Äpfel
1 Stange Sellerie
1 EL Zitronensaft
1 EL Zucker
4 Walnüsse
½ Tasse Schlagsahne
Pfeffer

Der Gebrauch der Schlagsahne zeigt den Einfluß der europäischen Küche. Äpfel vierteln, dann in 5 mm dicke Scheiben schneiden. Sellerie schälen und in 5 mm dicke Scheiben schneiden. Schlagsahne, Zitronensaft, Zucker und Pfeffer mischen, Apfelscheiben dazugeben und mischen. Auf einem Teller anrichten und mit Walnüssen garnieren.

Mais-Gurken-Salat

250 g Mais
½ Gurke
1 Stange Sellerie
2 Radieschen
½ Zwiebel
4 Stengel Petersilie
Salz
Pfeffer

Radieschen und Gurke in dünne Scheiben schneiden, in kaltes Wasser tauchen. 4 EL Pflanzenöl, 1½ EL Essig, Salz und Pfeffer mischen. Zwiebel in feine Streifen, Petersilie sehr klein schneiden. Mais und Gurke abtropfen lassen. In einer Schüssel alle Zutaten gut vermischen.

oshibori

Das ist kein Gericht, aber es soll nicht vergessen werden, denn es gehört zum guten Beginn und Abschluß eines japanischen Abends. Vielleicht haben Sie es bereits bei einem Flug nach Asien erlebt. Kaum ist die Maschine gestartet, kommen die Stewardessen mit einem eingerollten heißen Frottiertuch zu Ihnen, mit dem Sie Ihre Hände säubern, aber auch Hals und Gesicht unauffällig frisch machen können. Sie kaufen einige kleine Frottiertücher (ca. 20×20 cm), erhitzen sie entweder in heißem Wasser, wringen sie aus und wickeln sie zu kleinen Röllchen, oder Sie legen sie über Dampf. Wenn die Gäste kommen, reichen Sie als erstes *oshibori.* Dann lassen Sie ein *sake*-Schälchen auswählen. Sie können z.B. viele kleine Schälchen in einem Korb anbieten: Ihr Gast wählt sich nach seinem Geschmack eines aus. Besonders im Sommer reichen Sie noch mal nach dem Essen *oshibori.* Ihr Gast wird sich bestimmt angenehm verwöhnt und wie zu Hause fühlen.

Register nach Sachgruppen

FLEISCH

GEMÜSEGERICHTE

GETRÄNKE

NATIONAL-GERICHTE

NUDELN

PARTY-GERICHTE

SUPPEN

TOUHU

Alphabetisches Register